D1869356

MASUREN

und Umgebung

Jan Zduniak

MASUREN

und Umgebung

Korrektur
Agnieszka Zduniak, Karolewo
Brigitte Matthieß, Walle

Bildnachweis
Jan Zduniak
Nr. 16, 55, 56, 58–60
Studio „Flesz"
Kętrzyn, ul. Kasprowicza 29
alle andere

Alle Rechte vorbehalten

© **Copyright by Jan Zduniak, Karolewo 1997**

ISBN 83-905141-5-X
Wydanie II

Fotosatz und Offsetvorbereitung
Studio Poligrafii Komputerowej „SQL"
Olsztyn, Polna Str. 16, Tel. 523 59 41

Wydawnictwo / Verlag
ENERGOPOL-TRADE-POLIGRAFIA

Druck
ENERGOPOL-TRADE-POLIGRAFIA
10-406 Olsztyn, ul. Lubelska 46
Tel./fax (0-89) 533 73 12

Sprzedaż książek prowadzi:
Elżbieta Zduniak
11-404 Karolewo 22/15
Tel. (0-89) 752 41 69

INHALTSVERZEICHNIS

1. Unterwegs in Masuren

LAND UND LEUTE

LAGE

Das Land der dunklen Wälder und kristallen Seen - Masuren - ist der südliche Teil Ostpreußens. Es ist dies eine Landschaft zwischen der Kernsdorfer Höhe (313 m ü.d.M.) im Westen und der Seesker Höhe (309 m ü.d.M.) im Osten.

Erst zu Beginn des 19. Jh. begann man den Namen „Masuren" für jenen Teil Ostpreußens zu gebrauchen, in dem hauptsächlich auf dem Lande die evangelische Bevölkerung, die aus dem polnischen Masowien gekommen war, vorherrschend war. Unter den Historikern gibt es keine Übereinstimmung zur Frage, welche Landstriche zu Masuren gehören. Selbst der aufmerksamste Leser findet in den Lehrbüchern für Geschichte oder Geographie keine genauen Angaben über die Grenzen dieser Landschaft. Am häufigsten zählt man zu Masuren die Kreise: Treuburg, Lyck, Johannisburg, Sensburg, Ortelsburg, Neidenburg, Soldau, Osterode sowie auch die südlichen Teile der Kreise Rastenburg und Goldap.

Außer den schon erwähnten Gebieten beschreibt der vorliegende Reiseführer auch die Umgebung Masurens, die mit diesem Gebiet eine touristische Einheit bildet. Der Leser findet also hier zum Beispiel die Beschreibung von Rastenburg und Goldap (von deutschen Historikern nicht Masuren zugerechnet) und auch solche Ortschaften wie Heiligelinde, Steinort, Dönhoffstädt und einige andere, die man aufsuchen und besichtigen sollte.

STRUKTUR DER ERDOBERFLÄCHE

Die Erdoberfläche Masurens wurde zur Zeit der letzten Vereisung geformt. Sie entstand durch Auswirkungen des skandinavischen Inlandeises. Der sich zurückziehende Gletscher und das aus ihm entstehende Schmelzwasser meißelten intensiv die Erdoberfläche; daher ist diese auch in Masuren abwechslungsreich. Es gibt Moränenanhöhen mit steilen Berghängen, kleine, wenig ansteigende Hügel, sich weit erstreckende sandige oder sumpfige Täler. Es gibt hier schnellströmende und sich träg dahinschleppende

Flüße und Bäche, Tausende großer oder kleiner Seen, malerische Buchten und kleine Inseln. Manche Seeufer sind niedrig und mit Schilf bewachsen, andere wiederum erheben sich hoch und sind steinig. Es gibt hier schwer zu durchquerende Sumpfgelände, Torfmoore und sich weit erstreckende, mit unzähligen Steinen bedeckte Felder. Hin und wieder stößt man auf riesige, vom Gletscher herangebrachte Felsblöcke.

KLIMA

Masuren liegt in der Zone, in der atlantische Luftmassen auf kontinentale stoßen, daher ist das Wetter hier sehr unbeständig. Die große Anzahl Seen und die Nähe der Ostsee nehmen Einfluß auf das Klima, das sich vom Klima der weiter südlich gelegenen Gebiete unterscheidet. Der Frühling beginnt hier erst Mitte April, die Feldarbeiten und die Ernte sind im Vergleich zu anderen Teilen Polens um 2 bis 3 Wochen verzögert. Der Sommer ist warm, aber er währt nur 70 bis 80 Tage. Die größte Anzahl sonniger Tage gibt es im Juni und September. Der Mittelwert für die Luft beträgt 7° C für das ganze Jahr, für den Sommer 17° C. Die jährliche Menge der Niederschläge liegt über 550 mm. Der Winter dauert in Masuren 90 bis 110 Tage, also lange, aber er ist in der Regel mild.

SEEN

Masuren wird auch als das Land der tausend Seen bezeichnet. Es treten hier zwei Grundformen von Seen auf: Rinnen- und Moränenseen. Die Rinnenseen sind lang, tief und haben hohe, steile Ufer. Die Moränenseen haben die Form einer Mulde, eine abwechslungsreiche Uferlinie und sind nicht besonders tief. Die größte Anzahl der Seen befindet sich im östlichen Teil Masurens, das als das Land der Großen Masurischen Seen bezeichnet wird.

Der Spirding-See / jez. Śniardwy ist der größte in Masuren. Er bedeckt eine Fläche von 113,8 km^2. Die Länge von Westen nach Osten beträgt 22,1 km, die Breite 13,4 km, maximale Tiefe 24 m. Die Uferlinie hat eine Länge von 83 km. Seine Ufer sind flach, sumpfig oder steinig, der Grund des Sees ist sandig. Nur erfahrene Segler können mit dem Boot oder Paddelboot einen Ausflug auf dem Spirding-See unternehmen. Für die gewöhnlichen Touristen kann sich der See als zu riskant erweisen. Zahlreiche unter der Wasseroberfläche verborgene Felsen können für sie gefährlich werden, bei großem Wind erreichen die Wellen zuweilen eine Höhe von 1,3 m. Die interessanteste Insel auf dem See ist Teufelswerder (Czarci Ostrów) im südlichen Teil gelegen. Auf der Insel gab es seinerzeit eine Kultstätte der ehemaligen Pruzzen. In den Jahren 1784-1796 wurde auf Befehl des Königs von Preußen, Friedrich II., hier die mächtige Feste Lyck errichtet. Ihre Überreste sind bis heute vorhanden. Die Anhöhe, auf der sich einst die Feste befand, ist heute ein ausgezeichneter Aussichtspunkt.

Der Mauer-See / jez. Mamry besteht eigentlich aus sechs Seen: der eigentliche Mauer-See, der Schwenzait-See, der Kirsaiten-See, der Doben-See, der Labab-See, der Kissain-See. Im Mittelalter waren sie nicht miteinander verbunden, sondern stellten getrennte Seen dar. Zu dieser Zeit begann der geologische Prozeß der Anhebung des nördlichen Ufers des eigentlichen Mauer-Sees, was eine Erhöhung des Wasserstands um 2 m (4 mm jährlich) zur Folge hatte. Durch Überschwemmung der Landengen verbanden sich diese kleinen Seen zu einem großen.

Der Mauer-See hat eine Fläche von 104,5 km^2 und ist somit der zweitgrößte See Masurens. Seine Länge beträgt 25 km, Breite 10 km, maximale Tiefe 42 m. Seine Ufer sind größtenteils niedrig, stark mit Schilf bewachsen, das Wasser an den Ufern ist flach. Auf dem See gibt es 33 Inseln mit einer Gesamtfläche von 213 ha; die größte ist Upalten (68 ha).

Der Löwentin-See / jez. Niegocin, südlich von Lötzen gelegen, ist der drittgrößte See der Masurischen Seenplatte. Seine Fläche beträgt 26 km^2, Länge 11 km, Breite 5 km, maximale Tiefe 40 m. Seine nördlichen und südlichen Ufer sind niedrig, die westlichen höher. Nur die westlichen Ufer sind bewaldet. Im östlichen Teil befindet sich die Insel Graiwer (3,9 ha).

KANÄLE UND SCHLEUSEN

Durch ein System von Kanälen und Schleusen sind die Seen im Land der Großen Masurischen Seen miteinander verbunden, was den Seglern ein Gefühl der Freiheit und Ungebundenheit verleiht. Auf den Gedanken, die masurischen Seen zu verbinden, kam der Hochmeister des Deutschen Ordens, Winrich von Kniprode während seiner bahnbrechenden Fahrt im Jahre 1379. Er begab sich mit dem Boot von Angerburg / Węgorzewo über Rhein / Ryn nach Johannisburg / Pisz und kehrte von dort über die Flüsse Galinde / Pisa, Narew und Weichsel nach Marienburg / Malbork zurück. Damals wurde das Boot des Hochmeisters noch von See zu See

2. Weißstörche
3. Schwarzstorch

4. Elch

5. Reh

getragen. Kniprode verwirklichte seinen Gedanken nicht. Im 17. Jh. kam man wieder darauf zurück. In den Jahren 1660 - 1687 arbeitete Josef Naroński, Kartograph des preußischen Fürsten, Pläne für eine Verbindung der Seen auf der Strecke Angerburg - Johannisburg aus. Seine Arbeiten wurden von Samuel Suchodolski und seinem Sohn Jan fortgeführt. Beendet wurden die Pläne im Jahre 1744. Der 1765 begonnene Bau der Kanäle dauerte viele Jahre. Erst 1854 startete der erste Dampfer mit dem Namen Masowia, an Bord mit dem preußischen König Friedrich Wilhelm zur ersten Fahrt von Angerburg nach Johannisburg. Ab 1857 gab es eine reguläre Schiffahrt.

Im Jahre 1911 wurde mit dem Bau des Masurischen Kanals begonnen. Er sollte den Mauer-See durch die Flüsse Alle und Pregel mit der Ostsee verbinden. Der Kanal war 51 km lang. Jeder Kilometer des Kanals kostete 800.000 Reichsmark. Um die 111 Meter hohe Differenz des Wasserspiegels auszugleichen, baute man 10 Schleusen; 5 von ihnen befinden sich heute innerhalb der Grenzen Polens. Der Bau des Masurischen Kanals sollte große wirtschaftliche Vorteile bringen. Man plante, auf ihm Waren zu befördern. Außerdem sollte er eine Melioration der Sumpf- und Morastgelände ermöglichen. Als die Kanalarbeiten sich ihrem Ende näherten, wurden sie in Hinblick auf den andauernden Krieg unterbrochen. Später durchschnitt die polnisch - russische Grenze den Masurischen Kanal und jegliche Arbeiten wurden eingestellt.

WALDGEBIETE

Noch im 13. Jh. waren 80% der Fläche Masurens durch Urwälder bedeckt. Als man mit der Besiedlung dieser Gebiete begann, wurden auf fruchtbarem Boden die Wälder abgeholzt, um Anbaugebiete für die Landwirtschaft zu gewinnen. Seit dem 14. Jh. verkauften die Kreuzritter Holz an Länder im Westen Europas, später wurde das Holz an Ort und Stelle industriell verarbeitet. Im Laufe der Jahrhunderte verringerten sich die Waldgebiete immer mehr. Im Jahre 1926 bedeckten sie nur noch 18% der Fläche (gegenwärtig etwa 23%). In Masuren blieben noch zwei Urwälder erhalten.

Die Johannisburger Heide / Puszcza Piska erstreckt sich auf einer Fläche von etwa 860 km^2. Es sind dies vorwiegend Kiefernwälder in Verbindung mit Fichten und Laubbäumen. Man findet auch Eichen, Weißbuchen, Linden, Ahorn, Birken, Erlen und Eschen. In der Heide gibt es viele malerisch gelegene Seen. Die Flüsse Kruttinna und Galinde durchfließen sie. In der Heide leben u.a. Wildschweine, Hirsche, Rehe, Elche, Luchse, Wölfe, Biber, Adler und Schwarzstörche.

Der **Borker Wald** / Puszcza Borecka erstreckt sich östlich vom Mauer-See auf einer Fläche von 229 km^2. Hier wächst Mischwald, vorwiegend Fichten. Die Ansicht dieses Waldgebietes wird von hohen Erhebungen und Seen geprägt. Zu den interessantesten Tiere, die hier leben, gehören die Wisente (ca. 70).

Im östlichen Teil Masurens, zwischen Ortelsburg und Neidenburg, erstreckt sich der **Kalterborner Forst** / Lasy Napiwodzkie. Hier wachsen vor allem Kiefern, seltener sind Fichten, Eichen und Eschen.

TIERWELT

Große Waldgebiete, zahlreiche Seen, Flüße und Bäche, unzugängliche Sumpfgegenden, Dickichte, Wiesen und Felder sind Plätze, an denen Tiere günstige Lebensbedingungen finden. Daher leben in Masuren auch hunderte von Tierarten.

Zu den interessantesten Kriechtieren zählt die Sumpfschildkröte, leider immer seltener anzutreffen, obwohl sie in der Zwischenkriegszeit hier noch ein ziemlich alltägliches Tier war. Wenn man etwas Glück hat, kann man die Sumpfschildkröte heute noch in der Umgebung von Sensburg / Mrągowo oder Peitschendorf / Piecki zu Gesicht bekommen. Häufig in den Wäldern anzutreffende Tierarten sind Hirsche, Rehe und Wildschweine. Seltener sieht man Wölfe (etwa 20 Paar). Die seit längerer Zeit unter Schutz stehenden Elche haben sich so stark vermehrt, daß man die Jagd auf sie wieder aufgenommen hat. Immer mehr Biber leben in Masuren. Seltener trifft man auf einen Luchs oder einen Fischotter. In den masurischen Seen gibt es über 40 Fischarten. In den größten Seen leben Welse sowie kleine und große Maränen. Weitere Fischarten sind: Zander, Brasse, Barsch, Aal, Lachsforelle, Schlammbeißer, Plötze.

In Masuren leben über 300 Vogelarten. Zum Symbol dieser Gegend wurde der Kormoran, dessen Kolonien hier zahlreich vorhanden sind. Eine der Stellen, an denen sich diese Vögel scharen, ist die Wolfganginsel / Wysoki Ostrów im Doben-See, häufig als Kormoraninsel bezeichnet. Ein sehr schöner in Masuren lebender Vogel ist der stumme Schwan, auch tauber Schwan genannt. In einer alten Überlieferung ist die Rede davon, daß diese Vögel ihr ganzes Leben hindurch schweigen. Nur einmal im Leben singen sie, und das kurz vor ihrem Tode. Die Fischreiher bauen ihre Nester meistenteils auf alten Kiefern. Auf manchen Bäumen sind gleich mehrere Nester des Fischreihers zu sehen. Zu den Raubvögeln zählen u.a. Adler, Schreiadler, Fischadler und Habichte. Auch der Storch ist ein Raubvogel.

Störche wecken besondere Sympathie und Interesse. Sie wurden zu Helden von Sagen, Märchen, Volksglauben und Weissagungen. In Polen leben ca. 61.000 dieser Vögel, ihre größte Anzahl in Masuren. Hier haben sie die günstigsten Lebensbedingungen: zahlreiche Sumpfgelände, wo sie leicht Nahrung finden. Im Gegensatz zu der herkömmlichen Meinung ernährt der Storch sich nicht nur von Fröschen, die es in Masuren noch reichlich gibt, sondern auch von Regenwürmern, Insekten, Wühlmäusen. Er frißt auch Eidechsen, Blindschleichen, Schlangen und Mäuse. Somit ist der Storch ein nützliches Tier im Kampf gegen Schädlinge auf dem Feld. Eine Storchenfamilie verbraucht jährlich ca. 250 kg Nahrung. In Masuren leben zwei Arten dieses Vogels: der Weißstorch und der Schwarzstorch.

Der Weißstorch ist die häufigste Art. Er ist ungefähr 1 m lang, Flügelbreite 2 m. Sein Nest baut er in menschlichen Ansiedlungen oder in ihrer Nähe. Die Möglichkeit, Laute hervorzubringen, ist begrenzt. Manche Störche zischen laut, andere klappern mit dem Schnabel. Sie überwintern in Afrika. Ende März kommen sie nach Masuren zurück, wobei sie eine Entfernung von 4000 km zurücklegen müssen. Zuerst kommt der Herr Storch nach Hause. Er sieht nach, ob das Nest an seinem Platz ist und ob es nicht ausgebessert werden muß. Einige Tage später trifft die Frau Störchin ein. Gemeinsam richten sie ihre Behausung ein. Nun beginnt die Brunstzeit, die mit 3 - 5 Eiern im Nest endet. Nach einem Monat schlüpfen aus ihnen junge Störche. Wenn ein Junges krank ist, wird es aus dem Nest geworfen, die übrigen werden sehr sorgsam betreut. Nach 2 bis 3 Monaten verlassen die Jungen das elterliche Nest und beginnen ein selbtständiges Dasein.

Ein Storchennest wiegt gewöhnlich nicht weniger als 500 kg, manchmal erreicht es sogar das Gewicht von 2 Tonnen. Der Weißstorch legt es meistens auf dem Dach eines Hauses an, manchmal auf einem Leitungsmast.

Der Schwarzstorch hält sich vom Menschen fern, er ist scheu. Sein Nest baut er meistenteils tief im Wald, am liebsten auf Eichen. Im Gegensatz zum Weißstorch, klappern die Schwarzstörche nicht. Sie verständigen sich untereinander durch Gebärden.

In Masuren ist es nicht denkbar, daß jemand einem Storch etwas antut. Man glaubt, daß ein Storch auf dem Dach eines Hauses Glück bringt.

NATURSCHUTZGEBIETE

In Masuren gibt es noch Stellen, in denen die Natur ihren Urzustand beibehalten hat. Es sind Verfahren eingeleitet, um diese Gebiete vor dem ungünstigen Einfluß der Industrie und der unübertegten Tätigkeit des Menschen zu schützen.

1977 wurde der Masurische Landschaftspark geschaffen. Er umfaßt den ganzen Spirding-See und die westlich und südlich vom See gelegenen Gebiete. Der Park nimmt eine Fläche von 49616 ha ein; 40% davon sind Wälder, 30% Wasserflächen, 30% Felder, Wiesen und Moraste. Die Zone, die besonderen Schutz genießt, umfaßt 19603 ha. Durch den Park fließt der schönste masurische Fluß, die Kruttinna. Sie durchfließt mehrere Seen und bildet eine malerische Wegstrecke für Touristen.

Dem Schutz der ursprünglichen masurischen Natur dienen zahlreiche Reservate. Am bekanntesten ist das in der Nähe von Nikolaiken gelegene Vogelreservat „Lucknainer See" (Jezioro Łuknajno). Das Reservat wurde zum Schutz des stummen Schwans angelegt. Aber außer Schwänen leben hier etwa 170 Gattungen anderer Vögel. Im Reservat „Zakręt", unweit des Dorfes Kruttinnen / Krutyń gibt es die sog. schwimmenden Inseln, die Aufmerksamkeit erregen. Im Reservat „Królewska Sosna", auch in der Nähe von Kruttinnen unter vielen Bäumen, die bis zu 250 Jahre alt sind, befindet sich eine Kiefer, deren Umfang 360 cm beträgt.

GESCHICHTE

Die ersten Siedler kamen in der Eiszeit nach Masuren, etwa 8000 - 5000 v.Chr. Sie waren Fischer und Jäger. An den jeweiligen Plätzen hielten sie sich nur solange auf, wie sie dort günstige Bedingungen für Jagd und Fischfang fanden; wenn diese zu geringe Erträge lieferten, suchten sie nach neuen Wohnplätzen. Ihre primitive Kultur wird von den Historikern als vorindogermanisch, finno-ugrisch bezeichnet.

In der jüngeren Steinzeit kam es zu einem großen kulturellen Wandel auf diesem Gebiet. Es war der Übergang vom Jägernomadentum zu Ackerbau und Viehzucht. Träger dieser neuen Lebensweise waren Urindogermanen, die in zwei großen Wellen aus dem Westen ins Land strömten.

Aus der Vermischung der eingesessenen Bevölkerung mit den Neueinwanderern entstand zwischen Ostpommern und der Düna die Baltische Völkergruppe, die sich einige Jahrhunderte später in Westbalten (Pruzzen) und Ostbalten (Litauer und Letten) teilte.

Im Gebiet Masurens lebten zwei pruzzische Volksgruppen: Galinder und Sudauer. Die Galinder bewohnten den Raum zwischen Narew, Bobr, dem Masurischen Tal, dem Pissek und der oberen Alle. Die Sudauer, auch Jatwinger genannt, lebten zwischen Memel im Norden und Osten und den Flüssen Bobr und Narew im Süden.

Die Pruzzen waren Heiden. Ursprünglich haben sie Sonne, Mond und manche Tiere, z.B. Schlangen und Kröten angebetet, später schufen sie sich eine personifizierte Götterwelt. Perkunos war der Gott des Gewitters und der Natur, Potrimpos der Gott des Lebens, Patollu - der des Todes. Die Pruzzen ehrten sie an Gewässern und in heiligen Hainen und brachten ihnen Opfer.

Man versuchte schon im 10. Jh., die Pruzzen für das Christentum zu gewinnen. Der erste Versuch war die Mission des Bischofs Adalbert von Prag. Er gelangte über Danzig ins Pruzzenland, starb aber bald den Märtyrertod. Ebenso endete die Mission des deutschen Grafen Bruno von Querfurt im Jahre 1009. Nach diesem Mißerfolg verzichtete man auf längere Zeit auf die Christianisierungsversuche bei den Pruzzen.

Seit etwa 700 n.Ch. führten die pruzzischen Stämme ständige Kämpfe mit ihren Nachbarn - Polen (Masowiern) und Russen. Anfang des 13. Jh. griffen sie das Herzogtum Masowien an, plünderten das Land und gefährdeten dessen Hauptstadt Płock. Da die eigenen Kräfte des Staates nicht ausreichten, bat Herzog Konrad von Masowien im Jahre 1226 den Deutschen Orden um Hilfe.

Der Hochmeister Hermann von Salza wollte nicht nur Pruzzen christianisieren, sondern vor allem das eroberte Land für den Orden erwerben. Um Rechtsgrundlagen für dieses Vorhaben zu schaffen, wandte er sich an die obersten Autoritäten Europas, an Kaiser und Papst. Der Kaiser Friedrich II. schenkte dem Orden in der sog. Goldenen Bulle das von dem masowischen Herzog angebotene Kulmerland sowie alle weiteren erworbenen Gebiete im Pruzzenland. Auch der Papst verlieh dem Deutschen Orden den Besitz in Preußen.

1231 begann die Eroberung des Pruzzenlandes durch die Ordensritter. Zur Sicherung des Landes wurden Burgen errichtet. Um sie entstanden städtische Siedlungen. Die Ordensritter eroberten Galinden wegen seiner geringen Bevölkerungszahl ohne große Mühe. Nach harten Kämpfen gelang es ihnen auch, Samland zu besetzen. 1283 war der Kampf abgeschlossen und es folgte die Kolonisation der eroberten Gebiete. Die Ordensritter wollten die Sicherheit der Siedler und des Siedlungsgebietes erreichen. Deshalb bauten sie zuerst Burgen oder Häuser, d.h. befestigte Holzgebäude mit einem Palisadenzaun, erst dann gründeten sie Siedlungen.

1386 kam es zu einer Union zwischen Polen und Litauen, indem der litauische Großfürst Jagiełło die polnische Königin Jadwiga heiratete. Die bisher heidnischen Litauer wurden Christen. Damit verlor der Orden die Kreuzzugshilfe des Westens und erlitt eine schwere Niederlage im Krieg mit dem vereinigten Staat (Tannenberg 1410), die für immer seine Stoßkraft brach.

Diese Niederlage bedrohte die innere Stabilität des Ordensstaates. Die Unzufriedenheit der Bevölkerung begann zu wachsen. Sie verstärkte sich noch, nachdem der Orden in seiner Geldnot begonnen hatte, Steuern von seinen Untertanen zu erheben. Bürgertum und Adel strebten nach einem Mitregieren in Preußen, und so wurde 1440 der Preußische Bund gegründet, dessen Mitglieder, Vertreter der Städte und des Adels, sich an den polnischen König gewandt und ihm die Schutzherrschaft angeboten haben. Darauf begann der sog. Dreizehnjährige Krieg (1454-1466), zwischen dem Orden einerseits und den preußischen Ständen sowie Polen andererseits. Die Kämpfe endeten mit dem Frieden von Thorn. Pommerellen, das Kulmerland, das Ermland sowie die Städte Marienburg, Elbing und Danzig wurden an Polen abgetreten. Der restliche Teil des ehemaligen Ordensstaates wurde ein polnisches Lehen und jeder Hochmeister des Ordens mußte dem polnischen König den Lehnseid leisten.

Der Orden war jedoch bemüht, das Abhängigkeitsverhältnis zu Polen zu lösen. 1520 begann Markgraf Albrecht von Brandenburg-Ansbach den sogenannten Reiterkrieg gegen Polen, der für ihn ungünstig verlief und mit dem Friedensvertrag von Krakau 1525 endete. Dieser Vertrag bedeutete das Ende des Ordensstaates, der in ein weltliches, von dem polnischen König abhängiges Herzogtum umgewandelt wurde.

Im 17. Jh. hat der Große Kurfürst Friedrich Wilhelm den schwedisch-polnischen Krieg genutzt, um die volle Souveränität über Preußen zu erlangen. Die polnische Lehnshoheit hatte damit ein Ende. 1701 fand in Königsberg die Krönung Friedrichs I. zum König in Preußen statt.

Ende des 18. Jh. nahm Preußen an den drei polnischen Teilungen teil. Der Erwerb von Land war für Masuren wichtig, denn durch ein großes Absatzgebiet entwickelte sich Handel und Gewerbe sehr günstig. Aber schon Anfang des 19. Jh. wurde das Land in das Kriegsgeschehen einbezogen. Nach der Niederlage Preußens bei Jena und Auerstädt gegen die Franzosen belasteten die Kriegskontributionen und Einquartierungen die Bevölkerung. Nach dem Wiener Kongreß begann eine neue Blütezeit Masurens. Durch die Schaffung eines Straßennetzes, das bisher in Masuren fast ganz fehlte, und durch den Bau von Eisenbahnen wurde der wirtschaftliche Aufschwung des Landes wirksam gefördert. Seit dem Anfang des Jahrhunderts erfolgten in Preußen große Reformen: Umgestaltung der Verwaltung, Einführung einer neuen Städteordnung und der Gewerbefreiheit sowie eine Entlastung des bäuerlichen Besitzes.

Nach dem Ausbruch des 1. Weltkrieges wurde Masuren von russischen Truppen besetzt. Aber schon im September 1914 wurden die beiden Armeen in zwei großen Schlachten - bei Tannenberg und an den Masurischen Seen - besiegt. Nach der gewaltigen Masurischen Winterschlacht (Februar 1915) wurde ganz Ostpreußen endgültig vom Feind befreit. Während der folgenden Kriegsjahre wurde Masuren nicht mehr besetzt.

In der Abstimmung vom 11. Juli 1920 äußerte sich die Mehrheit der masurischen Bevölkerung für den Verbleib Masurens bei Deutschland.

Nach der Machtübernahme durch die NSDAP leisteten zwei Gruppierungen energischen Widerstand in Masuren: Sozialdemokraten und Angehörige der evangelischen Kirche. Eine besondere Bedeutung in der Auseinandersetzung mit dem Nationalsozialismus gewann die Kirchengemeinde Wallenrode (Wielitzken). Damals kamen ca. 100 Pfarrer Ostpreußens in Gefängnisse und Konzentrationslager.

In den ersten Jahren des 2. Weltkrieges lag Masuren fernab von allem Kriegsgeschehen und blieb von schweren Luftangriffen verschont. Diese Lage änderte sich mit Beginn der russischen Offensive im Jahre 1944.

Im Januar 1945 erfolgte der sowjetische Großangriff, der bereits am 18. Januar den Stadtrand von Soldau und am 19. Januar Neidenburg sowie die Kreise Ortelsburg und Osterode erreichte. Trotzdem unterband der Gauleiter Koch die notwendige Evakuierung der Zivilbevölkerung, weil die Gauleitung es nicht wahrhaben wollte, daß der Krieg verloren war. Räumungsbefehle kamen zu spät; bei der überhasteten Flucht in eisigen Winterstürmen fanden viele Ostpreußen den Tod.

Nach der Regelung im Potsdamer Abkommen vom 2. August 1945 kam der nördliche Teil Ostpreußens zum heutigen Rußland, das Gebiet nördlich der Memel zum heutigen Litauen und der südliche Teil Ostpreußens zu Polen.

BEVÖLKERUNG

Bis zum 13. Jh. war Preußen ein schwach besiedeltes Land. Auf dem ganzen Gebiet zwischen Weichsel und Memel lebten nicht mehr als 170.000 Menschen. Ein wesentlicher Teil der Einwohner Preußens kam während der Eroberung dieser Gebiete durch den Deutschen Orden ums Leben. Um das verödete Land zu bevölkern und zu bewirtschaften, bot der Orden günstige Bedingungen für eine Ansiedlung. Die ersten Ansiedler waren Deutsche aus Schlesien und Sachsen, die bevorzugt im westlichen und nördlichen Teil Preußens ansässig wurden.

Im 15. und 16. Jh. kamen Polen aus Masowien, die sich vorwiegend im Süden auf dem Lande ansiedelten. Die Welle der polnischen Besiedlung war so groß, daß im südlichen Teil Preußens die Zahl der Einwohner polnischer Herkunft in Kürze die Gesamteinwohnerzahl der ehemaligen Pruzzen und Ansiedler aus Deutschland weit überstieg.

Nach Auflösung des Ritterordens und Säkularisation Preußens im Jahre 1525 gingen die Siedler aus Masowien sowie alle Einwohner Preußens zum als Staatsreligion anerkannten Protestantismus über. Das hatte eine gewisse Abkapselung vom katholischen Polen zur Folge.

Noch in den letzten Jahren des 19. Jh. sprach 90% der Siedler aus Masowien polnisch (masurisch). Man nannte sie „polnische Preußen" und die Gegenden ihrer Ansiedlung „polnische Kreise". Erst zu Beginn des 19. Jh. wurde die Bezeichnung „Masuren" angewandt. Das Wort „Masure", auf polnisch „Mazur", bezeichnete anfänglich ausschließlich jemanden, der auf dem Gebiet des polnischen Masowiens lebte. Da die Bewohner des südlichen Teils Ostpreußens aus Masowien kamen und sich derselben Sprache bedienten, nannte man das Gebiet, das sie bewohnten, „Masuren".

Längere Zeit hindurch bildeten die Masuren eine geschlossene Volksgruppe, die ihre Eigenart beibehielt und sich deutlich sowohl von Polen als auch von Deutschen absonderte. Ihr Wahlspruch lautete: „Ich bin weder Deutscher noch Pole, ich bin Masure".

Diese Situation änderte sich allmählich im Laufe des 19. Jh. Es begann eine Entwicklung engerer Beziehungen zwischen Masuren und dem deutschen Staat. Anfänglich beschränkte sich dieser Prozeß auf die masurische Intelligenz, später dann auf breitere Kreise der Masuren. Die Kenntnisse der polnischen (masurischen) Sprache wurden immer geringer. Im Jahre 1925 kannten nur noch etwas mehr als 12% der Bevölkerung die masurische Sprache. In immer größerem Umfang übernahmen die Masuren den deutschen Lebensstil und das Wirtschaftssystem. Sie begannen sich mit dem deutschen Volk zu identifizieren. Vor Ausbruch des 2. Weltkrieges sprachen fast nur noch ältere Menschen masurisch, und nur sie pflegten noch die masurischen Bräuche.

Die Masuren hatten kein leichtes Leben. Sie wohnten im Grenzgebiet, in dem es oft zum Krieg kam. Ihre Häuser wurden im Laufe der Jahrhunderte von litauischen, tatarischen, französischen, polnischen und russischen Heeren geplündert und vernichtet. Als evangelische waren sie bei den katholischen Polen nicht beliebt; als Menschen, die aus einem anderen Land stammen, fanden sie bei Deutschen oft kein Verständnis. Meistens wohnten sie auf dem Lande, waren Bauern, arbeiteten als Landarbeiter, Fischer, Handwerker. In der Verwaltung nahmen sie die niedrigsten Positionen ein.

Die schwersten Zeiten kamen für die Masuren zu Beginn des Jahres 1945. Masuren war der erste Teil des Dritten Reiches, in den die Sowjetarmee eindrang. Wegen der zu spät angeordneten Evakuierung der Einwohner Ostpreußens, kamen etwa 30.000 Masuren ums Leben. Diejenigen, die am Leben blieben, aber nicht

6. Hölzerne Windmühle

rechtzeitig geflohen waren, machte man verantwortlich für alle von den Nazis begangenen Verbrechen. Viele Masuren wurden in die Sowjetunion verschleppt, viele kamen in die Arbeitslager.

Nach dem 2. Weltkrieg verblieben in den seit 1945 zu Polen gehörenden Gebieten 81.000 Masuren. Aus unterschiedlichen Gründen fanden sie in der neuen Wirklichkeit für sich keinen Platz. Ihre überwiegende Mehrzahl siedelte in den Nachkriegsjahren nach Deutschland über. Gegenwärtig leben in ihrer Heimat nur noch etwa 6.000 Masuren. Bis vor kurzem lebten sie auf ganz Masuren verteilt, nicht zusammengeschlossen, zu keiner Organisation gehörend. Jedoch in den letzten Jahren, nach den politischen Veränderungen in Polen, entstanden zahlreiche gesellschaftlich-kulturelle Verbände der deutschen Minderheit in Masuren. Sie bemühen sich darum, daß die hiesige Bevölkerung sich nicht fremd in ihrer Heimat fühlt. Diese Verbände sind u.a. als Hilfe für die Versöhnung zwischen Polen und Deutschen tätig. Sie betreuen Friedhöfe, auf denen deutsche Gefallene aus dem 1. und 2. Weltkrieg begraben sind, sie pflegen Kulturwerte und materielle Güter, veranstalten Kurse der deutschen Sprache und organisieren die Teilnahme masurischer Jugendlicher an Ferienlagern in Deutschland. Solche Verbände wurden in vielen masurischen Städten ins Leben gerufen. Hier einige Adressen:

— Stowarzyszenie Kulturalne Niemców [Kulturverband der Deutschen] „Heimat", 12-100 Szczytno, Leśny Dwór 73

— Mrągowskie Stowarzyszenie „Niedźwiedzia Łapa" [Sensburger Deutsche Gesellschaft „Bärentatze"], 11-700 Mrągowo, Os. Parkowe 1/2

— Stowarzyszenie Mniejszości Narodowej Niemieckiej „Mazury" [Gesellschaft der Deutschen Minderheit „Masuren"], 19-300 Ełk, ul. Orzeszkowej 5/6

BRÄUCHE

Viele Verfasser ethnographischer Abhandlungen zum Thema Masuren versuchen, die Bewohner dieser Gegend treffend zu schildern. Unter den Eigenschaften der Masuren überwiegen entschieden positive Wesenszüge. Der Masure ist ein begabter Mensch, er ist fleißig, beharrlich und sparsam, immer bemüht um Ordnung und Sauberkeit. Er ist diszipliniert, aufrichtig und ehrlich. Selbst schwerste Arbeit scheut er nicht, wenn sie Erfolg verspricht. Der Masure ist zäh und unnachgiebig, zugleich aber gutmütig, einfach und bescheiden. Er hat ein gutes Herz, mit jedem teilt er sein letztes Stück Brot. Er ist sehr gastfreundlich. Zu den Untugenden des Masuren gehören ein großes Mißtrauen gegenüber Unbekannten, Starrsinn und manchmal Zanksucht.

Die Kleidung des masurischen Bauern war sehr einfach. Im Sommer trug er gewöhnlich einen dunkelblauen Rock und einen einfachen Hut. Im Winter zog er einen Schafpelz an, setzte eine Pelzmütze auf und trug lange Lederstiefel. Die Mädchen gingen meistens ohne Kopfbedeckung, verheiratete Frauen dagegen trugen seidene Kopftücher und über ihren langen Kleidern Wolltücher. Die Betten wurden mit sehr dekorativen Decken zugedeckt.

Mahlzeiten wurden 3 bis 5 mal täglich eingenommen. Zum Frühstück gab es oft Kartoffeln mit Fett und dazu Erbsen, rote Beete oder Sauerkraut. Nicht selten bestand das Hauptgericht zum Frühstück aus Milchsuppe mit Klößen. In wohlhabenderen Haushalten wurde zusätzlich ein zweites Frühstück eingenommen. Es bestand aus Brot mit einem Stück Wurst, dazu Malzkaffee. Zu Mittag wurde in ärmeren Haushalten eine sämige Suppe serviert, in der alles enthalten war: Kartoffeln, Fleisch, Gemüse. In reicheren Haushalten bestand das Mittagessen aus zwei Gängen: außer Suppe wurden Kartoffeln mit Sauce, Fleisch und Rohkost aus Gemüse aufgetragen. In manchen Häusern wurde zum Nachmittag noch einmal Kuchen oder Brot mit Pflaumenmus gegessen. Zum Abendessen gab es oft Fisch und Brot.

Die Hochzeit fand in Masuren gewöhnlich im Haus der Braut statt. Erst zum Ausgang des 19. Jh. richtete man Hochzeiten manchmal auch im Wirtshaus aus. Auf dem Weg von der Kirche zum Hochzeitshaus wurden dem jungen Paar Hindernisse in den Weg gelegt. Um diese zu überwinden, mußte der Bräutigam sich freikaufen. Auf der Schwelle des Hauses begrüßten die Eltern das Brautpaar mit Brot und Salz. Bis Ende des 19. Jh. zog die Braut immer ein schwarzes Kleid an, erst zu Beginn des 20. Jh. trug sie ein weißes. Die Hochzeit dauerte gewöhnlich drei Tage. Es war üblich, daß in der ersten Nacht nach der Trauung, der Bräutigam die Schwiegermutter fragte, ob er mit seiner Braut schlafen gehen darf. Nach der Hochzeit zogen die Verheirateten ins Haus des Mannes um.

Interessant sind die mit dem Weihnachtsfest verbundenen Bräuche. In der Zeit vor Weihnachten, in der Adventzeit, gingen in

7. Bauernhaus
8. Pflügen

9. Bauernhof
10. Fischfang auf dem Schwenzait-See

manchen Dörfern verkleidete Jugendliche von Haus zu Haus. Sie verkleideten sich als Bären, Wölfe, Ziegen und andere Tiere. Dort, wo der Brauch des Verkleidens nicht bekannt war, fand der Weihnachtsumzug der Jungen mit Weihnachtsstern und Weihnachtsliedern statt. Noch im Jahre 1910 wurde zur Weihnachtszeit in die Stubenecke ein Getreidebündel hingestellt, erst später verbreitete sich der Brauch, einen Weihnachtsbaum aufzustellen.

Sehr feierlich wurde in Masuren der Tag vor Neujahr begangen. Am Abend wurde Blei oder Wachs in Wasser gegossen. Aus der Form des abgegossenen Blei- oder Wachsklumpens wurde die Zukunft prophezeit. Die Mädchen gingen aus dem Haus und lauschten auf Tierstimmen. Von der Seite, von der sich die Stimme vernehmen ließ, wird der künftige Ehemann kommen. Man glaubte auch, daß wenn im Neuen Jahr der erste Gast ein Mann ist, das ganze Jahr glücklich sein wird, ist der Gast jedoch eine Frau - werden die Einwohner des Hauses weniger Glück haben. In der Silvesternacht spielten sich die Einwohner Masurens die verschiedensten Streiche. Allgemein verbreitet war der Brauch, Geräte von ihrem Platz auf eine andere Stelle zu bringen, zum Beispiel auf das Dach des Hauses.

Am ersten Osterfeiertag ging man in vielen masurischen Dörfern bei Sonnenaufgang an ein fließendes Gewässer und wusch sich darin. Man glaubte, daß dies für das ganze Jahr Gesundheit gewährleistet. Am zweiten Osterfeiertag gingen Jugendgruppen mit Weiden- oder Birkenruten von Haus zu Haus. Wer Schlägen mit diesen Ruten entkommen wollte, mußte sich freikaufen mit Eiern, Kuchen, Wurst oder Geld. Im Süden Masurens begossen Junggesellen die unterwegs angetroffenen Mädchen.

Zu Pfingsten wurden die masurischen Häuser mit grünen Zweigen von Birken, Linden oder Ahorn geschmückt. In manchen Dörfern wurden auch Kuhhörner mit Zweigen besteckt und der Viehhirt mit Geschenken bedacht. Man glaubte, daß grüne Zweige den Hof vor Blitzschlag schützen und Felder, Wiesen und Wirtschaftsgebäude vor Mäusen und Ungeziefer.

In der Johannisnacht (23./24. Juni) versammelten sich die Dorfeinwohner auf Wiesen oder Anhöhen, zündeten Lagerfeuer an, sangen Lieder und vergnügten sich. Ein Überspringen des brennenden Feuers sollte dem Menschen die Befreiung von Sünden sichern. Die Mädchen warfen Kränzchen auf Bäume. Blieb ein

Kränzchen auf einem Ast hängen, bedeutete das, daß das Mädchen bald heiraten wird.

Der Gedächtnistag für die Verstorbenen, der Allerseelentag, wurde in Masuren am letzten Novembersonntag begangen. Auf Gräbern wurden Kerzen angezündet. In manchen Dörfern wurde auf Gräbern Essen für die Verstorbenen gestellt.

11. Masurische Landschaft
12. Auf dem Kirsaiten-See

ORTSBESCHREIBUNGEN

BABIĘTA / BABENTEN

Das Dorf in der Johannisburger Heide am Babenter Fließ liegt 24 km nordöstlich von Ortelsburg. Die Geschichte dieses Ortes geht bis auf das 14. Jh. zurück, als man hier eine große Schmiede erbaute, und um sie herum eine kleine Ansiedlung entstand. Gegenwärtig ist Babenten ein allgemein bekanntes Touristenzentrum an der Paddelbootroute auf der Kruttinna. Am Ort ist eine Bootsanlegestelle und ein Biwakplatz. Man sollte hier die alte Wassermühle besichtigen. In 2,5 km Entfernung vom Dorf ist einer der schönsten masurischen Seen, der Große Sixdroi-See / jez. Zyzdrój Wielki und am Ufer dieses Sees liegt der Ferienort Sixdroi / Zyzdrój.

BARANOWO / HOVERBECK

Das Dorf, 10 km westlich von Nikolaiken gelegen, entstand im Jahre 1555. In ihm blieb der Gutshof aus der Mitte des 19. Jh., umgeben von einem alten Park, erhalten. Derzeit befindet sich in ihm eine Versuchsanstalt der Polnischen Akademie der Wissenschaften.

BIAŁA PISKA / GEHLENBURG

Das Städtchen ist 17 km östlich von Johannisburg entfernt. Anstelle der von den Kreuzrittern vernichteten Ansiedlung der heidnischen Pruzzen „Gayle" entstand hier 1428 ein kleines Dorf. 1656 wurde es von Tataren niedergebrannt. Im Jahre 1710 starb die Mehrzahl der Einwohner an der Pest. 1722 wurde es durch Handfeste zur Stadt erhoben. Eine rasante Entwicklung trat im Jahr 1883 ein, als die Eisenbahnlinie Lyck - Johannisburg in Betrieb genommen wurde. Das Städtchen, 1914 von russischen Truppen zerstört, wurde schnell wiederaufgebaut. Es entwickelt sich hier die Holz- und Lebensmittelindustrie.

Die barocke Pfarrkirche am Ort wurde in den Jahren 1756-1763 erbaut, der Turm im Jahre 1832.

Einwohnerzahl: *1939:* 2623; *1996:* 3200.

DROGOSZE / DÖNHOFFSTÄDT

Im Jahre 1361 erhielt Konrad von Wolfsdorf von den Kreuzrittern den nach ihm benannten Ort Groß Wolfsdorf. Am Ausgang des 14. Jh. wurde hier eine Kirche im gotischen Stil errichtet, die zweimal umgebaut bis auf den heutigen Tag steht. 1487 ging das Dorf auf die Familie von Rauter über. Sie erbaute hier das erste Schloß, das hundert Jahre später durch Blitzschlag zerstört wurde.

Im Jahre 1631 wurde das Dorf von der Familie Dönhoff übernommen; der Name des Ortes wurde in Dönhoffstädt umgeändert. Die Familie von Dönhoff stammte aus Westfalen, wo sie im 13. Jh. große Besitztümer hatte. Im 14. Jh. siedelte ein Teil der Familie ins Baltikum über und ließ sich in der Umgebung von Riga nieder. Seit dem 18. Jh. wurde Dönhoffstädt zum Hauptsitz des Geschlechts, das immer mächtiger wurde und in ganz Europa bekannt war. Im 18. Jh. gehörten 25 Dörfer in den Kreisen Sensburg und Rastenburg den Dönhoffs.

Im Jahre 1710 gab Boguslav Friedrich v. Dönhoff den Auftrag, ein stattliches Schloß im Barockstil zu erbauen. Der Bau wurde 1716 beendet. Der Entwurf stammte vom Architekten de Collas, der sich den Palast in Friedrichstein als Vorbild nahm. Im Jahre 1816 kam Boguslav v. Dönhoff im Duell ums Leben. Da er keine männlichen Erben hinterließ, ging der Palast auf die Familie Stolberg-Wenigerode über. Diese Familie bewohnte ihn bis 1945. Die Wappen beider Geschlechter befinden sich in gutem Zustand über dem Palasteingang.

Nach dem Krieg wurde im Palast ein Schulungszentrum für Landwirte und Traktoristen eingerichtet. In Sommermonaten fanden hier Ferienlager für Dorfkinder statt. Immer seltener wurden am Palast Renovierungsarbeiten durchgeführt. Schließlich im Jahre 1990 wurde er geschlossen und für Besichtigungen grundsätzlich nicht mehr freigegeben. Seit 1993 ist das Bauwerk in privatem Besitz, und derzeit beginnt seine Instandsetzung.

Der Palast in Dönhoffstädt, der größte und schönste in Masuren, ist ein gewaltiges Bauwerk mit einer Kubatur von 22.000 m^3. Es wird erzählt, daß der Bau so viele Fenster hat wie Tage im Jahr, so viele Gemächer wie Wochen im Jahr und so viele Schornsteine, wie es Monate im Jahr gibt. Sein Mittelstück ist durch vier Säulen mit barocken Spitzen verziert. Die Fassaden sind von unterschiedlicher Höhe, da das Bauwerk auf unebenem Gelände steht.

Das Palastinnere hatte eine prachtvolle Ausstattung: stilvolle Möbel, Gemälde bekannter Meister, Gobelins, Erzeugnisse aus Fayence und Porzellan. Es gab hier eine Bibliothek mit 10.000 Bänden und sogar ein Schloßtheater.

Von außen sieht der Palast gegenwärtig noch gut aus, aber innen dagegen ist nicht viel von seiner einstigen Pracht geblieben. Am besten erhalten ist die Hauskapelle, in der sich zwei Sarkophage der Familie Dönhoff befinden. An den Wänden findet man Epitaphien der Familie Stolberg-Wenigerode. Relativ gut erhalten blieben einige Kamine, zwei Deckenmalereien und zahlreiche Stuckarbeiten. Der besterhaltene Raum ist der ehemalige Ballsaal, genannt Spiegelsaal.

Hinter dem Palast erstreckt sich ein 75 ha großer Park. Heute ist er verwildert und sieht eher einem Wald ähnlich. Der Park wurde zu Beginn des 19. Jh. angelegt, in ihm befand sich u.a. ein Reservat für Damwild. Bewunderung erwecken hier wunderschöne alte Eichen und Linden.

DZIAŁDOWO / SOLDAU

Die Stadt ist im südwestlichen Teil Masurens an der Grenze mit Masowien. In der Vorordenszeit befand sich hier eine Fischeransiedlung. In den ersten Jahren des 14. Jh. erbauten die Kreuzritter eine Burg, und um sie herum entstand eine Handwerkeransiedlung, die im Jahre 1344 der Hochmeister Ludolf König zur Stadt erhob. Die im Grenzgebiet liegende Stadt war fortwährend Zerstörungen ausgesetzt. 1375 wurde sie von Litauern abgebrannt, in den Jahren 1410, 1414, 1520 von Polen besetzt. Im Jahre 1620 hielt Soldau einem Kosakenangriff stand, 1656 wurde die Stadt von schwedischen Truppen unter König Karl Gustav, der hier Quartier aufschlug, besetzt. 1657 wurde Soldau von Tataren abgebrannt, 1698 von Litauern geplündert und 1806 von Franzosen eingenommen und verbrannt.

Im 1. Weltkrieg kämpfte bei Soldau die deutsche Armee mit russischen Truppen unter Führung von General Samsonow. Zu dieser Zeit wurde Soldau zuerst von Russen besetzt, oft zerstört, danach von Russen bombardiert. Im Januar 1920 wurde die Stadt aufgrund des Versailler Vertrags Polen angegliedert. Im 2. Weltkrieg richteten die Nazis hier ein Lager für polnische Kriegsgefangene ein, ab 1940 in ein sog. Durchgangslager Soldau verwandelt.

In ihm wurden ca. 30.000 Personen gefangengehalten, einige Tausend von ihnen kamen ums Leben. Sie wurden in den umliegenden Wäldern in Massengräbern beigesetzt. Am 19. Januar 1945 wurde Soldau von sowjetischen Truppen eingenommen.

Sehenswürdig ist die Burg des Ritterordens aus dem 14. Jh. Im 17. und 18. Jh. wurde sie umgebaut, und der letzte Umbau erfolgte in den achtziger Jahren des 20. Jh. Sie wurde auf dem Plan eines Quadrates erbaut. In der Mitte war der Burghof. Die Burg war im Mittelalter von allen Seiten von Wasser umgeben und durch eine Zugbrücke mit der Stadt verbunden. Interessant ist auch das aus dem Jahre 1796 stammende Rathaus. 1922 wurde es im Renaissance-Stil umgebaut. In der Stadt blieben auch mehrere Bürgerhäuser aus dem 17.-19. Jh. erhalten.

Einwohnerzahl: *1939:* 5112; *1996:* 19000.

EŁK / LYCK

Die Stadt liegt im östlichen Teil Masurens. Auf der Insel im Lyck-See / Jez. Ełckie gab es eine altpreußische Ansiedlung. An ihrer Stelle erbauten die Kreuzritter im Auftrag des Komturs von Balga Ulrich von Jungingen eine Burg, die mit der Stadt durch eine Zugbrücke verbunden war. Der Bau war im Jahre 1406 beendet. Gegenüber der Burg ließen sich Ansiedler aus Masowien nieder. Es waren Jäger, Waldbienenzüchter und Handwerker, die mit ihren Erzeugnissen für die Versorgung der Burgbewohner sorgten. Die von ihnen angelegte Siedlung wurde 1435 vom Hochmeister Paul von Rußdorf durch Handfeste zur Stadt erhoben. Ihre günstige Lage an der Handelsstraße von Königsberg nach Wilna und Masowien förderte die Entwicklung. 1525 wurde Lyck Sitz der Starostei. 1546 wurde hier die erste Oberschule gegründet, die durch ihr hohes Niveau bekannt wurde. Die Schule bildete vor allem masurische Jugendliche aus. Seit 1551 war auch eine Druckerei am Ort in Betrieb.

Die Entwicklung der Stadt wurde durch Kriegsereignisse unterbrochen. Zuerst wurde Lyck von Schweden beherrscht (1655), später beim Tatareneinfall vollständig zerstört (1656). Kaum hatte die Stadt sich aus den Ruinen erhoben, vernichtete sie 1688 ein großer Brand. Während der Pest (1709) starben über 1000 Einwohner. Viele Opfer forderte auch die mehrmals wiederkehrende Choleraepidemie.

13. Wappen über dem Schloßeingang in Drogosze / Dönhoffstädt
14. Schloß in Drogosze / Dönhoffstädt

Bessere Zeiten folgten erst im 19. Jh. 1818 wurde Lyck Kreishauptstadt. 1868 wurde die Eisenbahnlinie Königsberg - Lyck in Betrieb genommen, später verband sie Lyck mit anderen Orten, was eine schnellere Entwicklung von Industrie und Handel zur Folge hatte. Der 1. Weltkrieg verschonte die Stadt nicht, sie wurde dreimal von russischen Truppen eingenommen, ihr Zentrum zertrümmert und Einwohner tief nach Rußland verschleppt. Im 2. Weltkrieg wurde Lyck zu 30% kriegsbeschädigt. Derzeit entwickelt sich hier die Elektro-, Holz-, und Lebensmittelindustrie. Die Stadt ist ein wichtiger Eisenbahnknotenpunkt.

Die einstige Burg aus dem 14. Jh. auf der Insel im Lyck-See, im 19. Jh. umgebaut, blieb erhalten. Neben ihr steht ein Vorwerksgebäude. Auch die neugotische Kirche aus dem 19. Jh. sowie zahlreiche Bürgerhäuser aus dem Ende des 19. Jh. sind einer Besichtigung wert. Die Stadt ist Zentrum der Touristik und des Wassersports (Paddelbootfahrten, Badeanstalt, Strand, Campingplatz, Ferienheime). Eine Attraktion ist für die Touristen auch eine einstündige Fahrt mit der schmalspurigen Bahn auf der Strecke Ełk - Zawady oder die zweistündige Fahrt von Ełk nach Turowo.

Einwohnerzahl: *1939:* 16243; *1996:* 54000.

GIERŁOŻ / GÖRLITZ - WOLFSSCHANZE

Am 18. Dezember 1940 unterzeichnete Hitler die Weisung „Barbarossa" zum Angriff auf die Sowjetunion. Die Vorbereitungen für den Krieg begannen schon vor Bekanntgabe dieses Befehls. Auf Anweisung Hitlers sollte in der Nähe der Grenze mit Rußland ein neues Führerhauptquartier entstehen, von dem aus man die Ostfront befehligen könnte. Hitler fand, es wäre am besten, das Quartier in Ostpreußen zu errichten. Mit der Suche nach dem geeignetsten Ort befaßte sich eine Gruppe von Stabsoffizieren und Bausachverständigen.

Den Decknamen „Wolfsschanze" gab Hitler selbst dem Quartier. Er nutzte dazu sein Pseudonym „Herr Wolf", das er in den 20er Jahren hauptsächlich in seiner privaten Korrespondenz benutzte.

Die Wolfsschanze entstand im Forst Görlitz. Seit dem 14. Jh. war dies der Rastenburger Stadtwald. Die Wahl dieses Ortes war gut durchdacht. Görlitz lag nahe der russischen Grenze. Hitler konnte sich also in der Nähe der Front aufhalten und von hier aus die Kriegsoperationen leiten. Von Osten waren die masurischen

Seen eine natürliche Sperre. Überdies war Ostpreußen stark befestigt. In der Nähe waren die Festungen Königsberg, Memel und Pillau, zahlreiche Bunker, Panzergräben und Minenfelder. Die Wolfsschanze war in einem nicht großen aber dichten Mischwald entstanden, der die Tarnung erleichterte. Außerdem gab es hier schon seit langem eine Eisenbahnlinie und ein Netz guter Straßen, was den Verkehr und den Transport des Baumaterials begünstigte.

Mit dem Bau der Anlage begann die „Organisation Todt" im Herbst 1940 unter dem Decknamen „Chemische Werke Askania". Die Arbeiter waren in Baracken an der Zuckerfabrik in Rastenburg untergebracht. In der ersten Bauphase (1940/41) entstanden kleine Bunker, Häuser und Holzbaracken. In der zweiten Bauphase (1942/43) wurden die schon bestehenden Luftschutzbunker durch geräumige und helle Anbauten ergänzt. Sie dienten als Büro- und Wohnräume und garantierten bessere Arbeitsbedingungen. Außerdem wurde eine Reihe leichter Gebäude errichtet. In der dritten Bauphase (1944) wurden die schon bestehenden Bunker mit einem neuen, fensterlosen Mantel aus Stahlbeton umgeben.

Die Wolfsschanze war eine kleine Stadt für sich, ihr Gelände umfaßte 2,5 km^2. Sie war in drei Sperrkreise eingeteilt. Es gab hier über 80 Objekte, darunter sieben der schwersten Luftschutzbunker mit 5-8 Meter dicken Betonwänden und Decken. Stacheldrahtverhaue, die das Quartier umgaben, waren nur durch drei Wachen passierbar. Die Minenfelder waren 10 km lang, 100-150 m breit. Es gab hier über 54.000 Minen. In der Nähe waren zwei Flugplätze: einer am Rand der Anlage, der zweite in 5 km Entfernung.

In der Wolfsschanze hielten sich insgesamt über 2100 Offiziere, Soldaten und Zivilpersonen auf. Es gab nur 25 Frauen, u.a. Sekretärinnen, Stenotipistinnen und die Köchin Hitlers. Eva Braun war nie in der Anlage. Hitler verbrachte hier über 800 Tage. Zwei Tage nach Beginn des Krieges mit der Sowjetunion, am 24. Juni 1941, traf er ein. Oft fuhr er für kurze Zeit fort; meistens nach Berlin oder auf den Obersalzberg. Er verließ die Wolfsschanze am 20. November 1944 und kam nie mehr hierher zurück.

Am 24. Januar 1945, als die Rote Armee in Angerburg einmarschierte, sprengten deutsche Pioniere alle Objekte in der Wolfs-

15. Unterwegs in Masuren

16. Hitler-Bunker in der Wolfsschanze

schanze in die Luft. Drei Tage später erreichten Russen das nahegelegene Rastenburg und die Wolfsschanze. Sie nahmen das Gelände ohne Kampf ein. Erst 10 Jahre nach dem Krieg wurden Entminungsarbeiten beendet. Seit 1959 kommen Touristen hierher.

Die Besichtigung der Anlage beginnen wir vom Parkplatz aus. Im Krieg wuchsen hier Bäume, die eine natürliche Tarnung bildeten. Zusätzlich entstand eine künstliche Tarnung. Über Bunker und Wege waren Tarnnetze gespannt. Ca. 50 m weiter steht ein Gebäude, in dessen erstem Stock die Unterkünfte für die Offiziere des SS-Begleitkommandos und Reichssicherheitsdienstes [Nr. 1] lagen. Gegenwärtig ist im ersten Stock ein Hotel eingerichtet und im Parterre ein Restaurant. In einem nahegelegenen Gebäude gab es ebenfalls Unterkünfte für das SS-Begleitkommando und den RSD [Nr. 2].

80 m weiter, auf der rechten Seite,befinden sich die Ruinen der Lagebaracke [Nr. 3], in der das Attentat auf Hitler verübt wurde. Auf den Ruinen wurde eine Gedenktafel angebracht, mit Aufschriften in polnischer und deutscher Sprache: „Hier stand die Baracke, in der am 20. Juli 1944 Claus Schenk Graf von Stauffenberg ein Attentat auf Adolf Hitler unternahm. Er und viele andere, die sich gegen die nationalsozialistiche Diktatur erhoben hatten, bezahlten mit ihrem Leben". Die Gedenktafel wurde am 20. Juli 1992 enthüllt. Zu den Feierlichkeiten kamen drei Söhne Stauffenbergs zur Wolfsschanze.

Gegenüber der Gedenktafel stehen zwei gut erhaltene Bauten [Nr. 4 und Nr. 5]. Hier waren die Personen untergebracht, die für den persönlichen Schutz Hitlers zuständig waren. Wir gehen ca. 50 m weiter und bleiben beim Gästebunker [Nr. 6] stehen. Sein Dach hat knapp 6 m Stärke. Unter den Gästen, die Hitler in der Wolfsschanze aufsuchten, waren u.a. Mussolini, König Boris von Bulgarien, der französiche Regierungsschef Laval, der Staatsführer Rumäniens Antonescu. Ungefähr 70 m weiter steht der Bau, in dem der Stenographische Dienst [Nr. 7] untergebracht war. Wir kommen dann zum Eingang des Lagerraums für Vorräte [Nr. 10], der sich unter einer Erdschicht befindet. In der Wolfsschanze gibt es noch weitere ähnliche Räume, die als Lager dienten. In der Anlage gab es weder unterirdische Wohnräume noch unterirdische Verbindungen zwischen den Bunkern. Der Hauptgrund: das

Quartier liegt im Sumpfgebiet und der Grundwasserspiegel ist hier hoch.

Dann kommen wir zum Luftschutzbunker von Martin Bormann [Nr. 11]. Ungefähr 70 m weiter steht der Bunker von Hitler [Nr. 13]. Die Wohnräume lagen hier ausschließlich über der Erde und hatten eine Höhe von nur 2 m; die Decke war 8 m dick.

Albert Speer schreibt über Hitlers Bunker folgendes: „Von außen einer altägyptischen Grabstelle ähnlich, war er eigentlich nur ein großer Betonklotz ohne Fenster, ohne direkte Luftzufuhr, im Querschnitt ein Bau, dessen Betonmassen den nutzbaren Raum um ein vielfaches überstiegen. In diesem Grabbau lebte, arbeitete und schlief er".

Ca. 150 m weiter gelangen wir zu den Ruinen eines Baues, in dem die Persönliche Adjutantur des Führers, die Adjutantur der Wehrmacht und das Heerespersonalamt [Nr. 20] untergebracht waren. Etwas weiter steht der völlig zerstörte Bunker von Wilhelm Keitel [Nr. 19]. Wir biegen dann links ab, um den großen Luftschutzbunker Görings [Nr. 16] zu betrachten. Dieser Bunker bot Göring Schutz im Falle eines Fliegerangriffs. In der Nähe steht das Reichsmarschallhaus [Nr. 15]. Ungefähr 50 m weiter liegt der Bau, in dem der Wehrmachtführungsstab [Nr. 17] seine Unterkunft hatte. Sein Chef war Generaloberst Alfred Jodl.

Hinter der Chaussee erstreckt sich schon der Sperrkreis II. Der Betonweg hier entstand 1940. Links ist ein Bau zu sehen, in dem sich der Verbindungsstab der Luftwaffe beim OKW [Nr. 24] befand. Ca. 50 m weiter gelangen wir zu zwei Objekten, in denen der Verbindungsstab der Kriegsmarine beim OKW [Nr.25] untergebracht war. Wir gehen nach rechts und stehen dann vor dem gewaltigen Allgemeinen Luftschutzbunker [Nr. 26]. Ein Stückchen weiter verlassen wir den Betonweg, um aus der Nähe das Gebäude zu betrachten, in dem das Führer-Begleit-Bataillon untergebracht war. Wir gehen auf dem engen Pfad in derselben Richtung und gelangen zu dem Bau, in dem Albert Speer wohnte und arbeitete [Nr. 28].

Wir kehren jetzt auf dem für Touristen markierten Weg zum Parkplatz zurück. Unterwegs, ca. 50 m weiter, können wir von weitem auf der rechten Seite das Gebäude sehen, in dem sich der Verbindungsstab des Reichsaußenministers [Nr. 29] befand. Vor dem Erreichen des Parkplatzes überqueren wir die Eisenbahnlinie. Beim Überschreiten der Bahngleise sollten Sie noch einen

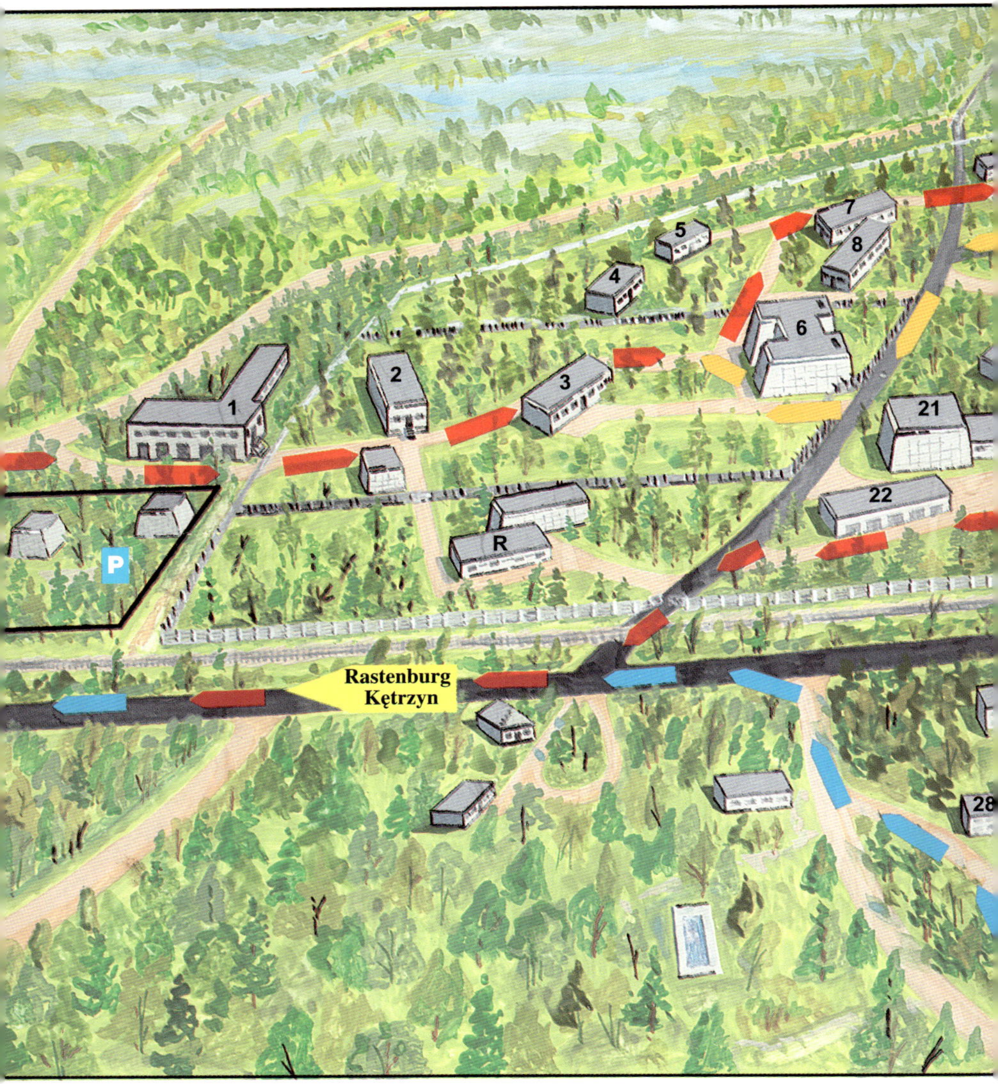

WOLFSSCHANZE

P. Parkplatz

1. SS-Begleitkommando, Reichssicherheitsdienst (RSD), jetzt Restaurant
2. SS-Begleitkommando
3. Lagebaracke
4. Reichssicherheitsdienst
5. SS-Begleitkommando, Persönlicher Dienst
6. Gästebunker
7. Stenographen
8. Hitlers Leibwachenchef
10. Lagerraum für Vorräte
11. Bormanns Bunker
12. Flakbunker
13. Hitler-Bunker
14. Löschwasserbecken
15. Reichsmarschallhau
16. Görings Bunker
17. Chef des WFSt, A. Jo
18. Kasino II
19. Chef des OKW, Feldmarschall Keite
20. Adjutantur
21. Nachrichtenbunker

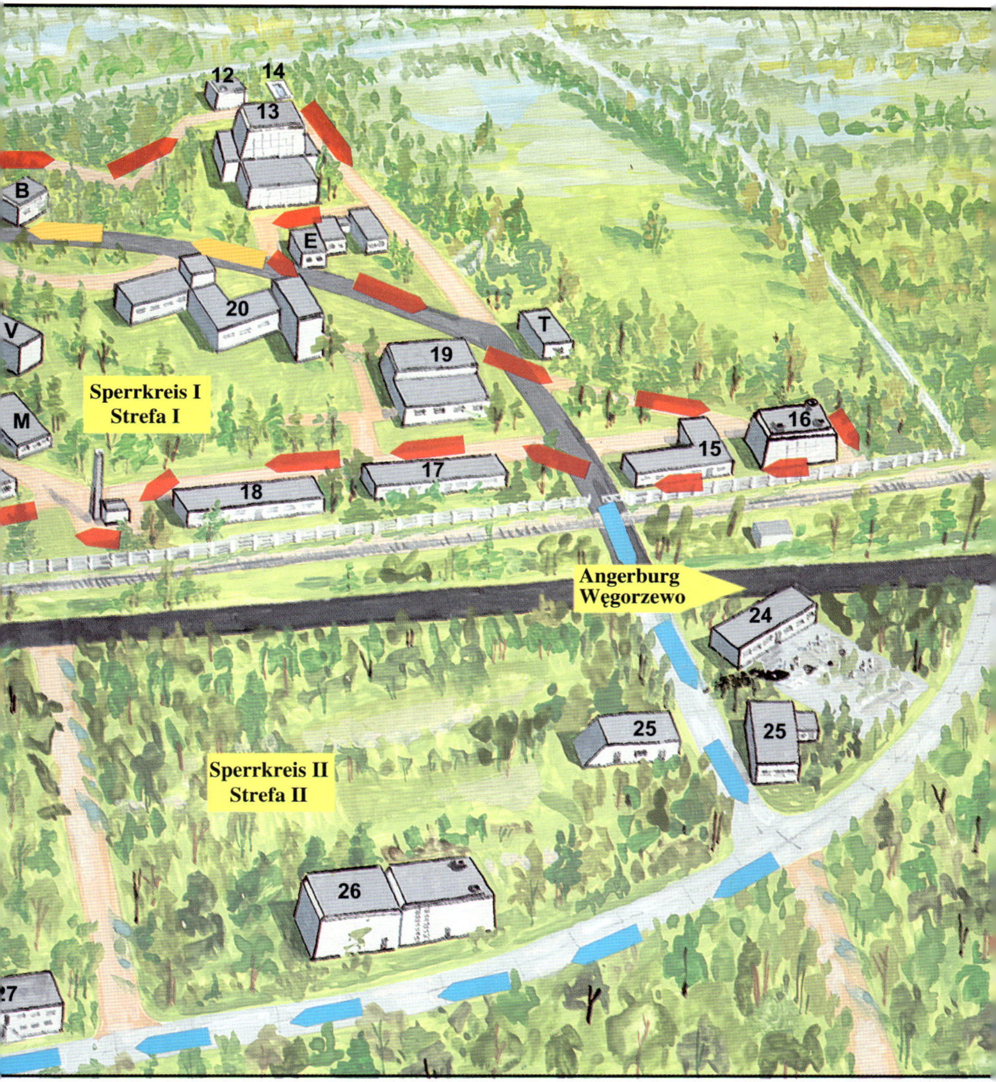

. Garagen
. Verbindungsstab OKL
. Verbindungsstab OKM
. Allgemeiner Luftschutzbunker
. Führerbegleitbataillon
. Haus von Albert Speer
. Verbindungsstab des Reichsaußenministers

Objekte, die in der Wolfsschanze nicht kenntlich gemacht wurden:

B. Haus von M. Bormann
E. Kasino I, neues Teehaus
M. Kino
O. Fahrer
R. Reichspressechef
T. Altes Teehaus
V. Verbindungsoffiziere
Z. Sauna

Besichtigungstouren:

2 km; 80 Min.
1,5 km; 45 Min.
2,5 km; 90 Min.

Blick nach links werfen. Auf der linken Seite der Gleise, etwa 200 m von hier, war der Bahnhof. Hier befand sich ein Anschlußgleis, auf dem der Führersonderzug stand.

Der alliierte Geheimdienst wußte, daß die Wolfsschanze sich bei Rastenburg befand, denn in der Anlage arbeiteten Tausende von Bauarbeitern und Tausende von Soldaten erfüllten hier ihren Dienst. Es kamen zahlreiche Gäste aus Deutschland und aus dem Ausland. Der alliierte Geheimdienst war sehr sorgfältig aufgebaut, so daß es einfach unmöglich war, diese Anlage geheimzuhalten.

GIŻYCKO / LÖTZEN

Die Stadt liegt auf einer Landenge zwischen dem Löwentin-See / jez. Niegocin und Kissain-See / jez. Kisajno. Die heidnischen Pruzzen legten hier eine Siedlung und Befestigung an. 1340 errichteten an dieser Stelle die Kreuzritter eine Burg, die 1365 von Litauern abgebrannt wurde. Schnell ging man an den Wiederaufbau. Die zu einer mächtigen Festung ausgebaute Burg schützte Preußen vor den Litauereinfällen. Mitte des 15. Jh. entstand neben der Burg eine Ansiedlung, die sich mit der Zeit zu einem kleinen Städtchen entwickelte. 1612 wurde sie zur Stadt erhoben.

1657 fiel die Stadt den in Masuren wütenden Tataren zum Opfer, Lötzen wurde von ihnen abgebrannt und über 1000 Menschen ermordet oder gefangengenommen. Ein halbes Jahrhundert später forderte die Pest etwa 800 Opfer. 1786 brach ein großer Brand aus, bei dem über 100 Häuser in Flammen aufgingen. 1818 wurde Lötzen Sitz des Kreises. In der zweiten Hälfte des 19. Jh. trat ein großer wirtschaftlicher Aufschwung ein. Viele Einwohner fanden beim Bau der hier entstehenden, mächtigen Festung und beim Ausbau des Kanalsystems, der die Großen Masurischen Seen verband, Beschäftigung. 1857 wurde hier die Dampfschifffahrt in Betrieb gesetzt, und 11 Jahre später endete der Bau der Eisenbahnlinie nach Königsberg. Zur selben Zeit entstand ein Straßennetz, das Lötzen mit den benachbarten Städten verband.

Im 1. Weltkrieg fanden hier schwere Kämpfe statt. 1914 wurde die Stadt von Russen erobert und niedergebrannt. Die Feste jedoch hielt sich, und in Kürze wurde ein Gegenangriff gestartet. In der Zwischenkriegszeit entwickelte sich Lötzen zu einem allgemein bekannten Zentrum der Touristik und des Segelsports. In jener Zeit entstanden viele Hotels und Fremdenheime. Im Januar

1945, aus Furcht vor einer Einkreisung, verließen die deutschen Soldaten Feste und Stadt.

In Lötzen sollte man sich vor allem die am westlichen Stadtrand gelegene Feste Boyen ansehen. Sie hat die Form eines sechsstrahligen Sterns. Die Anlage bedeckt eine Fläche von 120 ha, die Mauern haben eine Länge von 4,5 km, die Mauerstärke beträgt 3,25 m, ihre Höhe 10 m. Die Feste wurde in den Jahren 1843-1855 erbaut, nach Idee und Initiative des preußischen Kriegsministers, General Hermann von Boyen, nach dem die Feste ihren Namen hat. Sie war ein wichtiger Punkt des deutschen Verteidigungssystems, das sich von Angerburg bis Johannisburg zog. Die Feste Boyen spielte eine wichtige Rolle im 1. Weltkrieg, aber auch im letzten Krieg war sie ein strategischer bedeutsamer Punkt.

Von der Ordensburg aus dem 14. Jh. blieb nur ein Flügel erhalten. Im Ort steht auch eine evangelische Kirche, erbaut in den Jahren 1826-1827 sowie ein Pfarrhaus aus der Hälfte des 19. Jh. Im Sommer wird in dieser Kirche an jedem Sonntag um 9^{30} Gottesdienst in deutscher Sprache abgehalten.

Touristen finden in Lötzen ausgezeichnete Bedingungen zur Erholung. Zahlreiche Hotels, Fremdenheime und Campingplätze sind vorhanden. Zum Beispiel kann man im Hotel „Wodnik" absteigen (11-500 Giżycko, ul. 3 Maja 2, Tel. (0-87) 28 38 71. In der Stadt gibt es einen Hafen der Passagierschiffahrt. Im Sommer kann man täglich von hier aus Ausflüge über die Seen unternehmen (Hafen: 11-500 Giżycko, ul. Jeziorna 14, Tel. (0-87) 28 25 78.

Einwohnerzahl: *1939:* 16288; *1996:* 30000.

GOŁDAP / GOLDAP

Am Fluß Goldap, an der Stelle, wo früher nur Vorwerk und Sägemühle standen, entstand eine Ansiedlung, die 1579 von Herzog Albrecht von Hohenzollern zur Stadt erhoben wird. Anfänglich kamen hauptsächlich Siedler aus dem polnischen Masowien hierher. Erst im Jahre 1734 ließen sich hier 117 Emigranten aus Salzburg nieder.

Die Einwohner Goldaps wurden im Laufe der Jahrhunderte von Pest und Cholera heimgesucht, die Stadt wurde mehrmals durch Brände verwüstet, von fremden Truppen angegriffen und zerstört. 1657 fielen Tataren ein, 1757 wird Goldap von russischen Truppen eingenommen und geplündert, 1807 erleidet die

17. Anlegestelle am Schwenzait-See
18. Umgebung von Giżycko / Lötzen

19. Bauernhaus
20. Wildpark in Kadzidłowo / Einsiedeln

Stadt große Schäden beim Durchzug der napoleonischen Armee. Bessere Zeiten kamen dann im 19. Jh. 1818 wurde Goldap Kreishauptstadt, später erhielt sie Straßen- und Eisenbahnverbindung mit den benachbarten Städten und entwickelte sich wirtschaftlich positiv. Diese Entwicklung wurde im 1. Weltkrieg plötzlich unterbrochen. Die Stadt befand sich an der Linie der russisch - deutschen Front. Mehrmals ging sie von einer Hand in die andere über und wurde zerstört. In der Zwischenkriegszeit wiederaufgebaut, befand sich Goldap im 2. Weltkrieg erneut im Kriegsbrand. Im Oktober 1944 von der Roten Armee eingenommen, wurde sie im November von Deutschen zurückerobert, am 22. Januar 1945 von Russen besetzt. Ca. 90% der Stadt wurden vernichtet.

In Goldap sind nur wenige historische Bauten erhalten geblieben. Eine alte Pfarrkirche aus dem 16. Jh., nach Kriegsbeschädigungen erst in den achtziger Jahren des 20. Jh. wiederaufgebaut, eine Kirche aus dem Ende des 19. Jh., mehrere Bürgerhäuser aus dem 19. Jh., ein Heldenfriedhof aus den Jahren 1914-1915, auf dem deutsche und russische Soldaten beigesetzt sind.

Goldap, weitab von geräuschvollen Touristenrouten gelegen, bietet den sich hier aufhaltenden Gästen Ruhe und gute Erholungsmöglichkeiten. Nur 2 km von der Stadt entfernt liegt der Goldaper Berg, auch Schöner Berg genannt. Von hier aus hat man einen wundervollen Ausblick auf die ganze Umgebung. Im Winter sind hier Lift für Skiläufer, eine Sprungschanze und eine Rodelbahn in Betrieb. In der Nähe der Stadt liegt auch der Goldaper See und an seinen Ufern Ferienheime, Strand und Badeanstalt.

GRUNWALD / GRÜNFELDE

Das Dorf liegt 20 km südwestlich von Hohenstein / Olsztynek, in der Nähe des Dorfes Tannenberg / Stębark. Am 15. Juli 1410 wurde auf den Feldern bei Grünfelde und Tannenberg die historische Schlacht ausgetragen, in der die Ritter des Deutschen Ordens, unter Hochmeister Ulrich von Jungingen, den polnisch - litauischen Heeren, angeführt vom polnischen König Władysław Jagiełło, unterlagen.

Im Jahre 1960 wurde hier ein Denkmal enthüllt, das sich aus einem Granitobelisk (10 m hoch) und Masten zusammensetzt, die die Banner der polnischen und litauischen Heere symbolisieren.

Die Steinmaquette zeigt die Aufstellung der Heere vor der Schlacht. Im Amphitheater befindet sich ein Museum mit Kinosaal. Der Granitblock erinnert an den Tod des Hochmeisters Ulrich von Jungingen (siehe auch: Stębark / Tannenberg).

JEDWABNO / GEDWANGEN

Das große Dorf liegt auf der Strecke Szczytno / Ortelsburg - Nidzica / Neidenburg. An der Stelle der ehemaligen Grenzbefestigung der heidnischen Pruzzen erbauten die Kreuzritter im Jahre 1380 ein Jagdschlößchen. Daneben entstand eine Ansiedlung mit Waldbienenzüchtern. Im 18. Jh. war Gedwangen ein weit bekanntes Marktdorf. Die im 15. Jh. errichtete Kirche blieb nicht erhalten, die heutige stammt aus dem Jahre 1932. Das Dorf, umgeben von herrlichen Wäldern und Seen, bietet ideale Möglichkeiten zur Erholung für Touristen.

KADZIDŁOWO / EINSIEDELN

Dieses ist eine kleine Ansiedlung mit einem Wildpark in der Johannisburger Heide. Gründer und Eigentümer des Wildparks ist der Zoologe Dr. Andrzej Krzywiński. Auf einer Fläche von 40 ha finden wir hier die in Masuren lebenden Tierarten wie Rehe, Hirsche, Wildschweine, Wölfe, Elche, Biber, Tarpanpferde sowie die verschiedensten Vogelarten. Die Lebensbedingungen der Tiere sind den in der freien Natur sehr ähnlich.

Nach Einsiedeln kann man von Nikolaiken / Mikołajki aus, auf der Chaussee nach Süden, in Richtung Niedersee / Ruciane-Nida fahren. Etwa 3,5 km hinter dem Dorf Bobrówko biegt man rechts ab in einen Waldweg (Entfernung von der Chaussee etwa 800 m).

KĘTRZYN / RASTENBURG

Die Stadt liegt am Guber-Fluß. Bis zum 14. Jh. gab es an dieser Stelle die Pruzzensiedlung „Rast" (auf deutsch: der Pfahl). 1329 errichteten die Kreuzritter hier eine hölzerne Festung, die sie Rastenburg nannten. In der Nähe entstand eine kleine Ansiedlung. Sowohl die Burgbesatzung als auch die Ansiedler hatten kein leichtes Leben. In den Jahren 1345 und 1347 wurde die Stadt von Litauern angegriffen und sowohl die Festung als auch die sich neben ihr befindlichen Häuser niedergebrannt. Um die Ansiedlung vor ähnlichen Angriffen zu schützen, wurde sie kurz darauf mit mächtigen - 10 m hohen und 1,5 m breiten - Mauern umgeben.

21. Kętrzyn / Rastenburg
22. Pfarrkirche in Kętrzyn / Rastenburg

Der Zugang zur Ansiedlung wurde außerdem durch 13 Basteien und Festungsgräben gesichert. Durch zwei Tore gelangte man ins Innere der Ansiedlung.

1357 erhob der Komtur von Balga, Johann Schindekopf, Rastenburg zur Stadt. Noch im gleichen Jahr wurde mit dem Bau der mächtigen Pfarrkirche St. Georg innerhalb der Wehrmauern begonnen. 1370 waren die Bauarbeiten an dem neuen, gemauerten Schloß und Rathaus beendet. Die Stadt weitete sich immer mehr aus. Auch außerhalb der Wehrmauern baute man Häuser. Noch im 14. Jh. errichtete man Mühle und Krankenhaus. Im 16. Jh. wird die Entwicklung Rastenburgs durch Epidemien unterbrochen, die die Stadt neunmal heimsuchten. Die Lebensbedingungen der Einwohner verbesserten sich im 17. Jh. zu der Zeit, als man Kanalisation und Wasserleitung in Betrieb nahm und ein Arzt und eine Apotheke zur Verfügung standen.

Im 19. Jh. gab es erneut einen wirtschaftlichen Aufschwung der Stadt. Eine Mühle und Speicher wurden gebaut. Gerberei, Schlachthaus, Zuckerfabrik, Bierbrauerei und Hefefabrik entstanden. Im 1. Weltkrieg wurde die Stadt von Schäden verschont. In der Zwischenkriegszeit entstanden in Rastenburg neue Wohnviertel, Schulen und einige gute Hotels, wie z.B. der „Rastenburger Hof", „Königsberg", „Hotel du Nord".

Im 2. Weltkrieg wohnten in der Stadt die Arbeiter der „Organisation Todt", die im naheliegenden Rastenburger Stadtwald das Führerhauptquartier „Wolfsschanze" bauten. Im Januar 1945 lagen 50% der Gebäude in Trümmern. Am 27. Januar 1945 nahm die Rote Armee die Stadt ein.

Inzwischen ist Kętrzyn / Rastenburg ein großes Industriezentrum. Hier befinden sich die Werke zur Herstellung von Beleuchtungsgeräten, eine Zuckerfabrik, eine Bierbrauerei, eine Hefefabrik sowie die Textilwerke „Warmia". Den jetzigen Namen gab man der Stadt im Jahre 1946 zu Ehren von Wojciech Kętrzyński (1838-1916), dem Historiker, Ethnographen und Verfasser vieler Abhandlungen über die Geschichte Masurens. U.a. schrieb Kętrzyński über das Leben von Polen, die sich in Masuren niedergelassen hatten.

Die im Zentrum der Stadt gelegene Pfarrkirche St. Georg sollte man unbedingt besichtigen. In den Jahren 1359-1407 erbaut, erfüllte sie - außer ihrer normalen Rolle - zusätzlich die Aufgabe einer Festung (Kirchenburg). Bei ihrer Errichtung wurde die süd-

23. Wisent in der Johannisburger Heide

24. Hirsch

25. Masurische Landschaft
26. Rapsfeld in Masuren

westliche Ecke der Stadtmauern genutzt. Die Wände der Kirche sind 1,5 m dick und haben kleine, schmale Fenster.

Wenn man vom Mittelschiff in Richtung Altar blickt, bemerkt man, daß der Chorraum deutlich nach links abbiegt. Das gibt es in Europa ganz selten. Manche Historiker sind der Ansicht, daß der erst nach 1500 gebaute Chorraum sich nicht gerade einfügen ließ, was durch den schon früher hier erbauten Glockenturm bedingt war. Andere wiederum behaupten, daß der Chorraum absichtlich so gebaut wurde. Die Kirche war auf dem Grundriß des lateinischen Kreuzes errichtet. Um die Leiden Christi zu würdigen, wurde der Chorraum so gekrümmt, wie Christus am Kreuze den Kopf auf die rechte Schulter herabhängen ließ.

Das Innere der Kirche wird durch ein sehr schönes Kristallgewölbe (1515) belebt. Die Kanzel (1594) mit Darstellungen der Evangelisten blieb erhalten. Im westlichen Teil des rechten Schiffes sind drei Grabplatten eingemauert; die ansehnlichste stammt aus dem Jahre 1597 und stellt Oberst Schenk dar, den Kommandanten der Stadtwache. Rechts vom Chorraum befindet sich der neugotische Altar (1870), der einst als Hochaltar diente. Sein Hauptbildnis stellt die Kreuzigung dar.

Gleich neben der Kirche befindet sich die ehemalige Burg des Ordens. In der zweiten Hälfte des 14 Jh. auf dem Grundriß eines Rechtecks errichtet, wurde sie mehrmals umgebaut. Sie besteht aus drei Flügeln, die von westlicher Seite mit der früheren Mauer verbunden sind. Im letzten Krieg verbrannt, wurde sie wiederaufgebaut. Derzeit befinden sich in ihr ein Museum, das man besichtigen sollte, und die Stadtbibliothek. Im Stadtzentrum blieben auch Teile der Wehrmauern aus dem 14 Jh. erhalten.

In Rastenburg gibt es ein Gestüt mit Zuchthengsten, seine Geschichte geht bis auf das Jahr 1877 zurück. Nach Absprache besteht die Möglichkeit, das Gestüt zu besichtigen, man kann auch Reitpferde mieten oder Kutschfahrten bestellen (Anmeldungen: Stadnina Ogierów, 11-400 Kętrzyn, ul. Bałtycka 1, Tel. (0-89) 752 51 71.

Einwohnerzahl: *1939:* 19644; *1996:* 31000.

KOWALE OLECKIE / KOWAHLEN

Kowahlen ist ein großes Dorf auf der Strecke Goldap - Olecko (Treuburg). Im Jahre 1595 entstand hier ein Rittergut, 1564 wurde das Dorf angelegt. Bis in die Gegenwart ist hier eine alte, aus dem 19. Jh. stammende Eisengießerei in Betrieb. Kowahlen ist ein ausgezeichneter Ausgangspunkt für diejenigen Touristen, die in den Seesker Höhen / Szeskie Wzgórza ausruhen oder skifahren möchten. In der Nähe des Dorfes, 4 km westlich, befindet sich das Waldreservat Cisowy Jar. Es wurde angelegt, um die ältesten, 120 Jahre alten Eiben zu bewahren.

KRUKLANKI / KREUGLIN

Das Dorf liegt 13 km nordöstlich von Lötzen / Giżycko an der Stelle, wo der Sapine-Fluß in den Goldaper-See einmündet. Das Dorf wurde 1545 angelegt. Sehenswert sind hier der Gutshof aus dem Ende des 18. Jh. sowie die Kirche aus dem Jahre 1757, die im Jahre 1915 renoviert wurde. In ihr befindet sich ein Barockaltar und die Grabplatte der Familie von Gansen. Derzeit ist Kreuglin ein Feriendorf mit zahlreichen Ferienheimen.

KRUTYŃ / KRUTTINNEN

Das Dorf liegt südlich der Strecke Mrągowo / Sensburg - Ruciane / Niedersee, am Kruttinna-Fluß. Angelegt wurde das Dorf neben einem kleinen, etwa um das Jahr 1500 erbauten Jagdschlößchen, in dem 1527 Herzog Albrecht Zuflucht vor der Pest suchte. Seit 1918 ist Kruttinnen ein allgemein bekanntes und beliebtes Feriendorf. Es liegt an einem der schönsten Abschnitte der Paddelbootfahrt auf der Kruttinna. Im Bootshaus am Ort kann man Paddelboote mieten und selbständig einen Ausflug auf dem Fluß unternehmen. Empfehlenswert ist jedoch eine Stakenfahrt auf dem Fluß. Touristen nehmen in einem Boot Platz, das anfänglich gegen den Strom fährt, um das Ufer des Kruttinnen-Sees zu erreichen. Die Rückfahrt erfolgt auf demselben Weg. Der Ausflug dauert etwa eine Stunde. Ungefähr 1,5 km westlich vom Dorf befindet sich das Reservat „Zakręt" und in ihm hundertjährige Kiefern, zweihundertjährige Eichen und sog. schwimmende Inseln.

MIKOŁAJKI / NIKOLAIKEN

Die Stadt liegt im südlichen Teil des Landes der Großen Masurischen Seen. Der Name knüpft an den Schutzheiligen der dortigen Kirche St. Nikolaus an. In Hinblick auf die schöne Lage am Nikolaiken-See wird Nikolaiken auch Masurisches Venedig genannt und von Touristen sehr gern aufgesucht.

Im Jahre 1444 wurde hier kraft eines Privilegs des Hochmeis-

27. Am Ufer der Kruttinna
28. Eine Schwanenfamilie auf dem Mauer-See

29. „Maränenkönig” in Mikołajki / Nikolaiken

30. Die evangelische Kirche in Mikołajki / Nikolaiken

ters des Ritterordens Konrad von Erlichshausen ein kleines Dorf angelegt. Seine Einwohner betrieben Fischerei, Flößerei und Holzhandel. 1516 erbaute man eine Brücke über den See, für deren Benutzung Gebühren erhoben wurden. Gebührenpflichtig war auch das Durchfahren unter der Brücke. Nach Nikolaiken kamen mit der Zeit immer neue Ansiedler, u.a. aus dem polnischen Masowien.

1726 erhielt Nikolaiken Stadtrechte. Zu Beginn des 19. Jh. verringerte sich die Einwohnerzahl durch die Choleraepidemie. Erst nach 1843, als Dampfer nach Rhein / Ryn und Johannisburg / Pisz verkehrten, lebte die Stadt erneut auf. Am Ausgang des 19. Jh. erhielt sie Straßen- und Eisenbahnverbindung mit den benachbarten Orten. Im 1. Weltkrieg wurde Nikolaiken stark beschädigt. In der Zwischenkriegszeit entdeckte man die Vorzüge der Stadt für den Fremdenverkehr, die zerstörten Häuser wurden wiederaufgebaut, Hotels und Fremdenheime sowie ein Anlegeplatz für Segelboote eingerichtet. Man begann, Sportwettkämpfe zu veranstalten. Im 2. Weltkrieg war die Stadt zu 20% zerstört. Einheiten der Roten Armee besetzten Nikolaiken am 27. Januar 1945.

Heute entwickelt sich hier die Holzindustrie, und es gibt Fischerei, Molkerei und das Observatorium des Instituts für Meteorologie und Wasserwirtschaft. Im Ort gibt es eine evangelische Kirche im klassizistischen Stil, erbaut in den Jahren 1840-1842, der Turm stammt aus dem Jahre 1880.

Auf dem Markt steht ein Springbrunnen. In dessen Mitte sieht man auf einem Sockel einen großen Fisch mit einer Krone auf dem Kopf. So ein zweiter Fisch befindet sich auf dem See am Brückenpfeiler. Dieses ist der Maränenkönig.

Nach einer alten Volkserzählung lebte im Nikolaiken-See ein riesiger Fisch, der auf dem Kopf eine mit teuren Steinen besetzte Krone trug. Die Fischer nannten ihn König der Maränen. Er überwachte sein Königreich und rächte sich an Fischern, die auf seinem Territorium fischten, indem er ihre Boote umkippte. Nachdem einige Fischer ertrunken waren, fürchteten sich die übrigen, auf den See zu fahren. Ihre Familien, der Einkommen aus dem Fischfang beraubt, begannen Not und Hunger zu leiden. Die verzweifelten Fischer bespickten den Boden ihrer Boote mit scharfen Nägeln und fuhren erneut auf Fang. Diesmal gelang es ihnen, den Maränenkönig zu verletzen, aber er, der nicht mehr die Boote umkippen konnte, riß die Netze entzwei und befreite die in ihnen gefangenen Fische.

Schließlich entschloß sich eine Fischerfrau, Anna, sich mit einer Bitte um die Hilfe an den Gott der Wildnis und Wälder, Puskaitis zu wenden. Im Wald am Spirding-See, am Stein, neben dem die in der Umgebung wohnende Bevölkerung diesem Gott Opfer brachte, schenkte Anna ihm ein schwarzes Lamm als Opfer. Kurz danach sah sie, daß neben dem Stein ein starkes Netz aus Metallringen lag. Es war dies ein Geschenk von Puskaitis.

Am darauffolgenden Tag befestigte der mutige Fischer Kuryna, Annas Ehemann, das Netz an seinem Boot und fuhr auf den See. Schon nach einer Stunde geriet der Maränenkönig ins Netz und war nicht imstande, sich zu befreien. Kuryna schleppte den Riesenfisch nach Nikolaiken. Die Einwohner fällten das Todesurteil über den Fisch. Er jedoch drohte, daß, wenn sie ihn töten, alle Fische im See sterben würden. Die Fischer in Angst, daß sich diese Vorhersage erfüllen könnte, schenkten dem König der Maränen das Leben. Seither schwimmt er, angebunden an der Brücke auf dem See. An der Stelle, an der die Einwohner das Urteil gefällt hatten, wurde ein Springbrunnen aufgestellt.

In Nikolaiken erinnert man sich an diese schöne Überlieferung bis auf den heutigen Tag. Die Fischer auf den umliegenden Seen erzählen diese Geschichte.

Durch Nikolaiken führt die Wasserstraße der Masurischen Schiffahrt nach Lötzen und Niedersee mit einer Anlegestelle der „Weißen Flotte", Tel. (0-87) 21 61 02.

Am Stadtrand befindet sich das komfortable, große Hotel Gołębiewski (11-730 Mikołajki, ul. Mrągowska 34, Tel. (0-87) 21 65 17. Wenn man in Nikolaiken ist, sollte man einen Ausflug zum Lucknainer-See / jez. Łuknajno unternehmen. Dort lebt die größte in Europa vorhandene Kolonie von Wildschwänen mit annähernd 1300 Tieren.

Einwohnerzahl: *1939:* 2627: *1996:* 3800.

MRĄGOWO / SENSBURG

Die Stadt liegt inmitten der Sensburger Seenplatte, zwischen Juno- See / jez. Juno und Schoß-See / jez. Czos. Der Ursprung des Namens der Stadt ist bis heute unklar. Mit dem Namen verbinden sich viele sagenhafte Erzählungen. Eine besagt, daß der Name Sensburg von der Bezeichnung Sense abgeleitet ist.

31. Steinpilze

32. Weißstörche

33. Mragowo / Sensburg
34. Am Rehsauer See

Der Erzählung zufolge kam aus der Johannisburger Heide einmal ein Bär, er näherte sich der Stadt und bedrohte ihre Einwohner. Die mutigsten unter ihnen beschlossen, eine Treibjagd auf den Bären zu veranstalten. Sie nahmen solche Waffen mit, die sie gerade zur Hand hatten. Einer von ihnen erwischte den Bären. Da er aber bloß mit einer Sense bewaffnet war, konnte er ihm nur die Vorderpranke abhauen. Das verletzte Tier entkam. Einige Tage später jedoch wurde es getötet. Die Einwohner veranstalteten nach ihrem Sieg ein großes Gelage, und die Bärenpranke wurde ins Stadtwappen aufgenommen.

Die Anfänge der Stadt gehen auf das Jahr 1348 zurück, als die Kreuzritter an dieser Stelle eine Verteidigungsanlage errichteten. Neben ihr entstand eine Ansiedlung, die zu Beginn des 15. Jh. zur Stadt erhoben wurde. Die Stadt war nicht ummauert, sie war geschützt durch Palisaden und Festungsgräben. In die Stadt gelangte man durch zwei Tore.

Die Einwohner betrieben Fischfang, Ackerbau, Handel und Handwerk. Schon seit dem 15. Jh. ließ sich hier polnische Bevölkerung nieder. Noch zu Beginn des 19. Jh. sprachen 40% der Einwohner polnisch. In manchen nahegelegenen Dörfern, wie z.B. in Mertinsdorf / Marcinkowo oder Kersten / Kiersztanowo wohnten ausschließlich aus Polen zugezogene Ansiedler.

Die Stadt wurde von Naturkatastrophen nicht verschont, mehrmals drohte ihr vollständige Vernichtung durch Brände, oft brachen Seuchen aus. Im Jahre 1806 litt Sensburg unter dem Durchgang russischer Truppen, ein Jahr darauf unter dem der französischen.

Endlich jedoch stellte sich die Zeit des Aufbaues und wirtschaftlichen Aufschwungs ein. Wichtig war das Jahr 1818, als Sensburg Sitz der Kreisverwaltung wurde. Mitte des 19. Jh. begann der Bau von Chausseen, etwas später erhielt die Stadt durch eine Eisenbahnlinie Verbindung mit den benachbarten Orten. Die Einwohner fanden Beschäftigung beim Bau der seit 1899 hier errichteten großen Kasernen. Kurze Zeit später erhielt Sensburg eine Wasserleitung und ein Gaswerk.

Zum Glück wurde Sensburg im 1. Weltkrieg weitgehend von größeren Schäden verschont. In der Zwischenkriegszeit ging die Entwicklung der Stadt weiter voran. Es entstanden Schulen, ein Sportstadion und ein neues Wohnviertel. Diese für die Stadt günstige Zeit wurde im 2. Weltkrieg jäh unterbrochen. Im Januar

1945, kurz vor der Besetzung durch die Rote Armee, wurden die Einwohner evakuiert. Ca. 20% der Stadt war zerstört.

Derzeit entwickeln sich hier Holz-, Bekleidungs-, Lebensmittel- und Maschinenbauindustrie. Sensburg ist ein wichtiges Touristenzentrum und ein ausgezeichneter Ausgangspunkt für Ausflüge durch Masuren. Von einigen Hotels in der Stadt empfehlenswert ist das komfortable, am Ufer des Schoß-Sees gelegene Hotel Mrongovia (11-700 Mrągowo, ul. Giżycka 6, Tel. 0-8984/3221). In nächster Nähe des Hotels gibt es einen Campingplatz.

Einwohnerzahl: 1939: 9877; 1996: 22000.

NAWIADY / AWEYDEN

Das Dorf liegt auf der Strecke Mrągowo / Sensburg - Szczytno / Ortelsburg. Es wurde im Jahre 1397 angelegt, und seine ersten Bewohner betrieben Waldbienenzucht. Im Jahre 1710 wurde Aweyden von der Pest heimgesucht. Die im Jahre 1603 erbaute Kirche wurde nach dem Brand 1881 wiederaufgebaut.

NIDZICA / NEIDENBURG

Die Stadt liegt im südwestlichen Teil Masurens, am Neide-Fluß. Um das Jahr 1370 begannen die Kreuzritter hier mit dem Bau einer mächtigen Burg. Sie entstand auf einem Bergrücken, von drei Seiten durch Sümpfe umgeben. Neben ihr entwickelte sich eine Ansiedlung mit Handwerkern, Kaufleuten und Gewerbetreibenden, die für den Bedarf der Burg arbeiteten. 1381 erhielt diese Ansiedlung durch Hochmeister Winrich von Kniprode das Stadtrecht. Im 15. Jh., während der Kriege zwischen Polen und dem Orden, wurde die Stadt mehrmals von polnischen Truppen besetzt. Im Dreizehnjährigen Krieg (1454-1466) trat Neidenburg dem Preußischen Bund bei und wurde zum Zentrum der Kriegshandlungen gegen den Orden. Nach dem 2. Thorner Frieden (1466) verblieb Neidenburg im Ordensstaat. Nach der Säkularisierung Preußens gab es eine längere Zeit des Friedens und günstigen wirtschaftlichen und kulturellen Entwicklung der Stadt. 1549 ließen sich hier die böhmischen Brüder nieder. 1656 wehrte Neidenburg einen Tatarenüberfall ab.

Im Jahre 1710 forderte die Pest über 200 Opfer. 1804 wurden bei einem großen Brand viele Häuser vernichtet. In den Jahren 1807 und 1812 war die Unterhaltspflicht der hier stationierten französischen Truppen eine große Belastung für die Stadt. Wäh-

35. „Tatarenstein" in der Nähe von Nidzica / Neidenburg
36. Kirche in Nidzica / Neidenburg

37. Ordensburg in Nidzica / Neidenburg

38. Ordensburg in Nidzica / Neidenburg

rend des 1. Weltkrieges wurde Neidenburg von russischen Truppen unter General Samsonow eingenommen. 1945 wurde die Stadt zu 70% beschädigt.

Jetzt werden hier Röntgenapparate, Möbel und Baumaterial hergestellt. Außerdem entwickelt sich die Nahrungsmittelindustrie.

Es empfiehlt sich, in der Stadt vor allem die gotische ehemalige Ordensburg zu besichtigen. In den Jahren 1370-1400 gebaut, 1812 durch französische Truppen zerstört, verfiel das Bauwerk, wurde jedoch in den Jahren 1828-1830 wiederaufgebaut und den Anforderungen des Gerichtswesens angepaßt. 1945 erneut zerstört, wurde es nochmals aufgebaut. Jetzt sind hier Kulturhaus, Bibliothek und Cafe untergebracht.

In die Burg gelangt man durch die Vorburg, bestehend aus Tor, Bastei und Wehrmauern. Der Bau besteht aus vier Flügeln. Der östliche, in dem sich das Einfahrtstor befindet, ist von zwei Seiten von hohen Wehrtürmen umgeben, die die Umgebung überragen. Der stattlichste Flügel ist der östliche, hauptsächlich seine Räume im ersten Stock. Hier ist Kapelle mit interessantem Sterngewölbe, Remter und Kanzlei angeordnet. In der Kapelle sowie im Remter blieben Fragmente gotischer Wandmalereien aus dem Beginn des 15. Jh. mit Szenen aus der Bibel erhalten.

An der Murarska-Straße blieben zwei Basteien und ein Teil der Wehrmauer aus dem 14. Jh. erhalten. Auch die aus dem 14. Jh. stammende Pfarrkirche lohnt eine Besichtigung. Nach Zerstörungen im 19. Jh. und zu Beginn des 20. Jh. wurde die Kirche umgebaut. An Stelle des alten Rathauses aus dem 14. Jh. steht ein neues, aus der ersten Hälfte des 19. Jh.

Gleich hinter der Stadt, in der Nähe des Dorfes Tatary, befindet sich ein mächtiger Findlingsblock, genannt Tatarenstezin (6 m lang, 4,5 m breit, 2,1 m hoch).

Nach einer sagenhaften Erzählung wurde im Jahre 1656, als die Tataren Neidenburg belagerten, während einer kurzen Kampfpause, auf diesem Stein das Mittagessen für den Heerführer der Tataren aufgetragen. Einer der jungen Verteidiger der Stadt mit Namen Nowak schoß ohne Befehl in Richtung der Tataren. Die Kanonenkugel traf den Heerführer der Tataren, die sich danach zurückzogen. Der in Schrecken versetzte Nowak, der eine Strafe für den Verstoß gegen das Schießverbot befürchtete, versteckte sich auf der Vorburg. Als man ihn fand, wurde er nicht nur nicht bestraft, sondern er erhielt für seine Tat 16 Morgen Land und wurde von Steuern befreit.

Einwohnerzahl: *1939:* 9201; *1996:* 15000.

NOWE GUTY / SEEGUTTEN

Das Dorf liegt am östlichen Ufer des Spirding-Sees. Seine Geschichte reicht bis auf das Jahr 1450 zurück. Heute ist Seegutten ein allgemein bekanntes Feriendorf mit einer Anlegestelle für Segelboote. Die Ufer des Sees sind hier steil und bilden ausgezeichnete Aussichtspunkte. In 1,5 km Entfernung vom Dorf, an der Straße nach Gaudynki, liegt ein Findlingsblock von 8 m Umfang.

OKARTOWO / ECKERSBERG

Das Dorf liegt auf der Landenge zwischen Spirding- und Tirklo-See, 6 km westlich von Arys / Orzysz. Hier steht eine Kirche aus dem 18. Jh. Im Pfarrgarten gibt es Erdwälle, bei denen es sich um Überreste einer aus dem 14. Jh. stammenden Burg handelt. 2 km nördlich des Dorfes stand im frühen Mittelalter eine altpreußische Festung.

OLECKO / TREUBURG

Die Stadt liegt am Ufer des Treuburger-Sees / Jez. Oleckie, an der östlichen Grenze Masurens. In der Mitte des 16. Jh. erbaute man hier ein, von drei Seiten von Wasser umgebenes Jagdschlößchen, das man Oletzko benannte. 1560 traf sich in ihm Herzog Albrecht mit dem polnischen König Zygmunt August; beide nahmen an einer großen Jagd teil. Zu Ehren dieses Treffens, beschlossen sie, hier im Urwald zwei Städte zu beiden Seiten der Grenze anzulegen. Die polnische Stadt erhielt den Namen Augustów, vom Vornamen des Königs, die preußische Stadt dagegen wurde Marggrabowa benannt; das heißt „Markgrafenstadt", bezogen auf den Titel des Herzogs.

Marggrabowa, unweit der Grenze mit Polen und Litauen, sollte ein großes Handelszentrum werden, weshalb hier ein großer Marktplatz mit einer Fläche von 6 ha entstand. Die Einwohner der Stadt hatten das Recht, vier Jahrmärkte jährlich abzuhalten. Trotz dieser Pläne wurde die Stadt nie zu einem bedeutenden Handelszentrum.

Verhängnisvoll war für die Stadt das Jahr 1656, als erstmals die Tataren einfielen, viele Einwohner töteten und weitere in Gefangenschaft nahmen. Die Zerstörung vollendeten die schwedischen und brandenburgischen Soldaten. Später brachen große Brände aus, 1710-1711 wurde die Einwohnerzahl durch die Pest stark reduziert.

Bessere Zeiten traten nach 1818 ein, als Marggrabowa Sitz der Kreisbehörden wurde. Die Stadt erhielt Chaussee- und Bahnverbindung mit anderen Städten. Errichtet wurden Krankenhaus, landwirtschaftliche Schule, Wetterstation, Wasserleitung und Gaswerk. Marggrabowa wurde Kurort. 1914 wurde die Stadt von russischen Truppen eingenommen, aber die Kriegsschäden waren relativ gering. Nach dem im Jahre 1920 durchgeführten Plebiszit blieb die Stadt in den Grenzen Deutschlands. Um den deutschen Sieg im Plebiszit zu verankern, wurde der Name Marggrabowa in Treuburg umgeändert.

Im 2. Weltkrieg wurden 80% der Stadt zerstört. Heute entwickelt sich hier die Nahrungsmittelindustrie. Die Stadt wird zunehmend von Touristen aufgesucht.

Einwohnerzahl: *1939:* 7114; *1996:* 17000.

OLSZTYNEK / HOHENSTEIN

Die Stadt liegt 27 km südlich von Allenstein / Olsztyn. 1351 erbauten hier die Kreuzritter eine hölzerne Festung. Neben ihr entwickelte sich eine Ansiedlung, die 1350 vom Hochmeister des Deutschen Ordens, Winrich von Kniprode, das Stadtrecht erhielt. In den Jahren 1360-1370 wurde eine gemauerte Burg errichtet. Im 15. Jh. umgab man die Stadt mit Wehrmauern. Während der Kriege zwischen Polen und dem Orden im 15. und 16. Jh. wurde die Stadt mehrmals von polnischen Truppen eingenommen. 1656 besetzten Hohenstein zuerst die Schweden, danach die Tataren. In der Stadt entstanden Schäden durch große Brände und Pestepidemien. 1807 wurde sie von Franzosen besetzt.

Im 19. Jh. hatte Hohenstein dank der Eisenbahnlinie und Straßen gute Entwicklungsmöglichkeiten. Diese wurden begünstigt durch die Lage an der Handelsstraße von Elbing zum polnischen Masowien. Durch den Ausbruch des 1. Weltkriegs wurde die günstige Entwicklung gestoppt. Die Stadt lag auf dem Angriffsweg der Truppen unter Feldmarschall Hindenburg auf die russische Armee unter General Samsonow. Hohenstein wurde vollständig zerstört. In der Zwischenkriegszeit wiederaufgebaut, verwandelte sich die Stadt im 2. Weltkrieg erneut in ein Trümmerfeld.

Zu den Sehenswürdigkeiten zählt der erhalten gebliebene Teil der Ordensburg aus dem 14. Jh. Er wurde mehrmals zerstört und wiederaufgebaut, und in der Hälfte des 19. Jh. zu einer Schule umgebaut. Allein die Keller mit gotischen Gewölben und Teile der Mauern stammen noch aus dem 14. Jh. Besichtigt werden sollte auch die evangelische Kirche im gotischen Stil, erbaut im 14. Jh., 1691 umgebaut, 1945 abgebrannt. Nach dem Krieg wurde sie wiederhergestellt. Heute befindet sich hier ein Museum und ein Ausstellungssaal.

Wenn man in Hohenstein ist, sollte man auf jeden Fall das Freilichtmuseum besuchen. Auf einer Fläche von 35 ha sind 40 alte Bauwerke der Volksbaukunst aus dem 18., 19. und Beginn des 20. Jh. aufgestellt. Sie stammen aus Masuren, Ermland, Oberland und dem sog. Preußischen Litauen. Es sind dies u.a. alte masurische Hütten, Wassermühle, Holländermühle, masurische Kirche, Wirtshaus, Schmiede, Pferdestall und Scheune. Ein Teil der Hütten ist mit alten Geräten, Möbeln, Geschirr, volkstümlichem Zierat und Werken der Volkskunst ausgestattet. Ihre Besichtigung ermöglicht dem Besucher, seine Kenntnisse über das Landleben im ehemaligen Ostpreußen, über das herrschende Brauchtum und die Volkskunst zu erweitern.

Das Freilichtmuseum entstand in den Jahren 1937-1940, als aus dem Zoologischen Garten in Königsberg die ersten Holzgebäude verlegt wurden. Der ethnographische Park in Hohenstein sollte eine zusätzliche Attraktion sein für die Besucher des hier früher erbauten Tannenbergnationaldenkmals. Es wurde zur Erinnerung an die sog. zweite Schlacht bei Tannenberg (26.-30. August 1914) errichtet, in der die deutschen Truppen, befehligt von Generalfeldmarschall Paul von Hindenburg, die russische Armee unter General Samsonow besiegten, und dadurch die Russen aus Ostpreußen verdrängten.

Dieses Denkmal war ein riesiges Bauwerk auf dem Grundriß eines Achtecks. Es bestand aus acht gewaltigen Basteien von 8 bis 20 Meter Höhe, die durch hohe Mauern miteinander verbunden waren. In den Basteien befanden sich Tafeln mit Namen der in der Schlacht gefallenen deutschen Soldaten und Fahnen der einzelnen Regimenter. Das ganze Bauwerk war mit Flachreliefs und Standbildern ausgeschmückt. Eine spezielle Reliefkarte gab den

Verlauf der Kämpfe in Ostpreußen wieder. Nach Hindenburgs Tod (am 2. August 1934) wurde hier der Sarg mit den sterblichen Überresten begraben. Dieser Ort war das Ziel zahlreicher Ausflügler, die aus ganz Deutschland hierher kamen. Es wurden ebenfalls Kundgebungen veranstaltet. Im Januar 1945 wurden die sterblichen Überreste Hindenburgs nach Marburg gebracht. Kurz danach sprengten deutsche Pioniere zwei Basteien. Nach dem Einmarsch der Roten Armee wurde das Bauwerk vollständig zerstört, heute sind hier nur noch Reste von Fundamenten vorhanden.

Um an den Ort zu gelangen, an dem sich das Tannenbergdenkmal befand, muß man sich von der Wegkreuzung, die nach Elbląg, Olsztyn und Nidzica führt, zuerst in Richtung Nidzica / Neidenburg begeben. Danach in den ersten Weg nach rechts abbiegen, in Richtung Drwęck (auf dem Wegweiser zu ersehen). Nach ungefähr 1 km wieder nach rechts abbiegen und auf einem festen Landweg gelangt man zu einem kleinen Wald, wo man das Auto stehen lassen sollte. Von hier aus sind es noch ca. 300 m nach rechts zur Anhöhe, auf der das Denkmal stand.

ORZYSZ / ARYS

Arys liegt unweit des Ostufers des Spirding-Sees / jez. Śniardwy, am großen Arys-See. In Mittelalter verlief hier eine wichtige Handelsstraße von Norden nach Süden, und es war der einzige Durchgang durch Seen- und Sumpfgebiete. An dieser Stelle entstand zuerst ein Wirtshaus. Im Jahre 1443, aufgrund eines vom Hochmeister Konrad von Erlichshausen eingeräumten Privilegs, wurde hier ein Dorf angelegt; zuerst Neudorf genannt, wurde der Name 1507 in Arys umgeändert. Im 16. Jh. wurde die Ansiedlung Sitz des Kirchspiels. Sie machte sich einen Namen durch ihre Märkte mit Flachs und Leinwand. Im Jahre 1725 wurde sie durch König Friedrich Wilhelm I. zur Stadt erhoben.

Am Anfang des 19. Jh. entwickelte sich die Stadt nur langsam. Die Situation ihrer Einwohner verbesserte sich erst am Ausgang des Jahrhunderts, als hier eine Garnison und am Stadtrand ein Truppenübungsplatz entstand. Arys wurde auch zum wichtigen Eisenbahn- und Straßenknotenpunkt. Im 1. Weltkrieg war die Stadt ein halbes Jahr von russischen Truppen besetzt. Am Ende des 2. Weltkriegs wurde Arys zu 30% kriegsbeschädigt. Inzwischen entwickeln sich in der Stadt Handel und Dienstleistungen, gleichzeitig ist sie ein Zentrum der Touristik und Erholung.

39. Masurische Dorfkirche

40. Im Freilichtmuseum in Olsztynek / Hohenstein

Die einzige altertümliche Bauwerk ist die mit einem wuchtigen Turm versehene Kirche aus dem Jahre 1530, die im 19 Jh. umgebaut wurde. Die eherne Kirchenglocke stammt aus dem Jahre 1603, die Kanzel aus der Mitte des 18. Jh.

Einwohnerzahl: *1939:* 3500; *1996:* 6000.

OSTRÓDA / OSTERODE

Die Stadt wurde am Ausgang des 13. Jh. gegründet. Anstelle der zerstörten altpreußischen Befestigung erbauten die Kreuzritter zu der Zeit eine am Ufer des Drewenz-Sees gelegene Holzfestung. Der daneben entstandenen Ansiedlung gab 1329 der Christburger Komtur Luther von Braunschweig das Stadtrecht. In den Jahren 1349-1370 wurde hier eine Burg aus Stein errichtet. Diese erhielt im Ordensstaat eine große Bedeutung; sie wurde selbständige Komturei. Zwar wurde die Burg 1381 nach dem Litauereinfall niedergebrannt, aber schon 1410 wurde ihr Wiederaufbau beendet. Die Stadt war von mächtigen Wehrmauern mit 8 Basteien, 3 Toren sowie Festungsgräben umgeben. Nach dem Stadtbrand im Jahre 1788 wurden die Mauern abgetragen und die Ziegel für den Aufbau der verbrannten Häuser verwendet.

Während des Dreizehnjährigen Krieges (1454-1466) ging die Stadt von einem Besitz in den anderen über, was ihr sehr geschadet hat. Ab 1525 war Osterode Sitz des Starosten. Die Stadt wurde abwechselnd von Schweden (1628), Polen (1635), Russen (1758) und Franzosen unter Napoleon I., der hier Quartier bezog (1807), besetzt. 1818 wurde Osterode Sitz des Kreises, was ihre Entwicklung beschleunigte. Als noch günstiger erwies sich für die Stadt der im Jahre 1848 begonnene Bau des Oberländischen Kanals sowie die Weg- und Bahnverbindung zu anderen Städten. Derzeit ist Osterode ein großes Industrie- und Touristenzentrum.

Zu den Sehenswürdigkeiten am Ort zählt das gotische Ordensschloß aus der zweiten Hälfte des 14. Jh. Im 2. Weltkrieg niedergebrannt, wird es jetzt wiederaufgebaut. Die gotische Kirche aus dem 14. Jh. wurde 1898 gründlich umgebaut, im 2. Weltkrieg verbrannt und in den 80er Jahren des 20. Jh. wiederaufgebaut. Es gibt hier auch eine neugotische Kirche aus dem Jahre 1875, mit Turm aus dem Jahre 1913. Im Innern der Kirche findet man eine gotische Pieta aus dem Ende des 14. Jh. Zu historischen Gebäuden zählen ebenfalls Wohnhäuser und Fachwerkspeicher aus der Wende des 19. zum 20. Jh.

Osterode ist Ausgangspunkt für Ausflüge auf dem Oberlandkanal (Information: 14-100 Ostróda, ul. Mickiewicza 9A, Tel. 0-88/463871).

Einwohnerzahl: *1939:* 17795; *1996:* 36000.

PASYM / PASSENHEIM

Das Städchen liegt zwischen Szczytno / Ortelsburg und Olsztyn / Allenstein, auf der Landenge zwischen Kalben- und Lehlersee. An dieser Stelle stand im 6. Jh. eine altpreußische Befestigung. 1326 wurde hier das Dorf Heinrichswalde angelegt, das der Herrschaft des ermländischen Bischofs unterstellt war. 1381 ging es in die Hände der Kreuzritter über, die hier eine Burg erbauten (1616 zerstört). Zu Ehren des Komturs zu Elbing, Siegfried von Bassenheim, erhielt die Ansiedlung den Namen Passenheim.

Schon 1386 zur Stadt erhoben, wurde sie ein wichtiges Wirtschaftszentrum mit weithin bekannten Märkten. Passenheim mußte mit dem in der Nähe liegenden Ortelsburg um den Vorrang streiten. Beide Städte kämpften u.a. um das Recht, Branntwein und Bier herstellen und verkaufen zu dürfen. Es kam sogar zu Feindseligkeiten zwischen den Einwohnern beider Städte. Ortelsburg gewann diesen Kampf.

Allmählich verlor Passenheim an Bedeutung. Mehrmals brachen große Brände aus, 1656 wurde der Ort von Tataren zerstört. In den Jahren 1709-1710 starben ca. 200 Personen an der Pest, 1807 wurde die Stadt von französischen Truppen geplündert. Am Ende des 19. Jh., als die Eisenbahnlinie Ortelsburg mit Allenstein verband, hatten die Einwohner Passenheims erneut kein Glück: die Bahnstrecke verlief in zu großer Entfernung (3 km) von der Stadt, und hemmte somit ihre Entwicklung. Mehr Glück hatte sie während des 1. Weltkrieges. Es fanden hier keine Kampfhandlungen statt. Im 2. Weltkrieg jedoch wurde die Stadt zu 30% beschädigt und 1945 verlor sie die Stadtrechte.

Zu den Sehenswürdigkeiten zählt die evangelische Kirche aus dem 14. Jh., die in den Jahren 1765-1775 nach einem Brand wiederaufgebaut wurde. Im Innern der Kirche steht ein manieristischer Altar aus dem Jahre 1673, drei Grabplatten aus dem 17. Jh., Orgel aus dem 18., Kruzifix aus dem 15. und Barockkanzel aus dem 17. Jh. Auch das Rathaus aus den Jahren 1854-1855 und die neugotische katholische Kirche aus dem Jahre 1876 sollte man besichtigen.

41. Kranich

42. Wölfe

43. Kloster der Altgläubigen in Wojnowo / Eckertsdorf
44. Pyramide in Rapa / Kleinangerapp

Der Tourist findet in Passenheim gute Bedingungen für eine Erholung am Kalbensee / jez. Kalwa. Hier gibt es eine Bootsanlegestelle sowie einen Campingplatz. Ein schöner Ausflugsweg führt entlang des Seeufers nach Rudziska Pasymskie / Waldheim. Hinter dem Forsthaus gibt es einen wunderschön gelegenen Biwakplatz.

Einwohnerzahl: *1939:* 2431: *1996:* 2000.

PIECKI / PEITSCHENDORF

Der Ort liegt 14 km südlich von Sensburg / Mrągowo. Er wurde 1401 vom Komtur von Balga Ulrich von Jungingen, dem späteren Hochmeister des Deutschen Ordens, angelegt. Seine ersten Einwohner befaßten sich mit Waldbienenzucht. Im 16. Jh. gab es hier eine Eisenhütte.

Wenn man in Peitschendorf ist, sollte man dort Frau Dermacka einen Besuch abstatten (ul. Zwycięstwa 48) und sich ihre Sammlungen der Volkskunst, Keramik und Holzschnitzerei anschauen. Auch Touristen, die nicht verabredet waren, sind hier immer herzlich willkommen. In der Nähe des Dorfes, am Gr. Wongel-See, ist ein sehr schön gelegener und behaglicher Campingplatz.

PIERSŁAWEK / KLEINORT

Dieses ist die Försterei, in der der deutsche Schriftsteller Ernst Wiechert geboren wurde. Kleinort erreicht man, wenn man von Mrągowo / Sensburg in südlicher Richtung fährt; 2 km vor Peitschendorf / Piecki auf der Kreuzung muß man links abbiegen. Von der Kreuzung ist es noch 3 km bis zur Försterei. Zum 100. Geburtstag des Schriftstellers wurde hier eine Gedenktafel enthüllt.

Ernst Wiechert (1887-1950) - Kenner des masurischen Volksstammes - besang die Schönheit der masurischen Landschaft. Er war Verfasser solcher Werke wie „Missa sine nomine", „Die Jerominkinder", „Das einfache Leben", „Die Majorin", „Wälder und Menschen", „Der Totenwald". Die letzten drei Jahre seines Lebens verbrachte der Schriftsteller in der Schweiz.

PISZ / JOHANNISBURG

Die Stadt liegt am Galinde-Fluß / Pisa, an der Stelle, wo der Fluß aus dem Rosch-See / jez. Roś ausfließt. In den Jahren 1344-1345 legten die Kreuzritter hier eine hölzerne Burg an, um die südöstliche Grenze ihres Staates abzusichern. Die Burg wurde zweimal von Litauern zerstört, schließlich wurde sie 1376 als gemauertes Bauwerk errichtet. 1451 weilte in ihr der Hochmeister des Ordens Ludwig von Erlichshausen als Gast. Neben der Burg entstand eine Ansiedlung, deren Bewohner sich mit Handel von Fischen, Honig und Wachs befaßten. 1645 erhielt sie das Stadtrecht und wurde durch Palisade und Festungsgraben befestigt. In die Stadt gelangte man durch drei Tore.

Im Jahre 1698 trafen sich in Johannisburg der preußische Kurfürst Friedrich III. und der polnische König August II. Sie veranstalteten damals eine große Jagd, der viel Wild und leider auch die letzten in der Johannisburger Heide lebenden Wisente zum Opfer fielen. In den Jahren 1709-1710 wütete in der Stadt die Pest; von 1200 Einwohnern blieben 14 am Leben. Am Ende des 18. Jh. ging die Burg in Privatbesitz über und nach gewisser Zeit wurde sie abgetragen.

Während der Napoleonkriege befand sich Johannisburg auf der Durchmarschstrecke der Truppen. Zuerst hielten sich hier die nach Moskau marschierenden Franzosen und Bayern auf, später die den Napoleontruppen nachfolgenden Russen. Im Juni 1813 hielt sich in Johannisburg für kurze Zeit der russische Zar Alexander I. auf.

1818 wurde Johannisburg Kreishauptstadt. Zu dieser Zeit ging ihre Entwicklung voran, die Einwohner betrieben Handel und versorgten die ganze Masurische Seenplatte mit Waren. In der Mitte des 19. Jh. war bei Johannisburg der Wagenauer Kanal / Kanał Jegliński in Betrieb. Die Dampfschiffe fuhren nach Nikolaiken und weiter nach Norden. Es entstanden zu dieser Zeit auch Schotterstraßen, die Verbindungen mit den benachbarten Städten herstellten. Um die Wende des 19. zum 20. Jh. führten drei Bahnlinien durch Johannisburg. Im 1. Weltkrieg wurde die Stadt erheblich zerstört. In der Zwischenkriegszeit erholte sie sich. Es entstanden mehrere Industriebetriebe, und die Touristik belebte sich.

Der 2. Weltkrieg verschonte die Stadt nicht, sie wurde zu 85% zerstört. Die sowjetischen Truppen drangen am 22. Januar 1945 in die Stadt ein. Gegenwärtig entwickelt sich hier Holz- und Nahrungsmittelindustrie, auch Baumaterial wird hergestellt. Im Sommer ist hier ein reger Touristenverkehr.

Man sollte hier das Museum des Johannisburger Landes auf-

45. Fenster mit Holzfigürchen (Haus von Frau Dermacka in Piecki / Peitschendorf)
46. In Popielno / Popiellnen wird u.a. die Kreuzung von Wisent und Hausrind gezüchtet

suchen; es ist im neugotischen Rathaus, in der Mitte der Stadt untergebracht. Am Museum steht eine sog. Steinfrau. Es handelt sich um einen Grabstein der heidnischen Pruzzen bzw. ein pruzzisches Götzenbildnis. Zu den Sehenswürdigkeiten am Ort zählt auch die Pfarrkirche, erbaut im Jahre 1843 an Stelle der früheren mittelalterlichen Kirche. Sie hat eine barocke Ausstattung. Altar und Kanzel stammen aus den Jahren 1700-1701.

In der Stadt ist eine Schiffsanlegestelle der „Weißen Flotte" sowie ein Schwimmbad, Strand und Jugendherberge.

Einwohnerzahl: *1939:* 6322; *1996:* 20000.

POPIELNO / SPIRDING

Dieses ist eine Siedlung am südwestlichen Ufer des Spirding-Sees / jez. Śniardwy. Sie entwickelte sich am Ende des 17. Jh. In der Zwischenkriegszeit gab es hier eine Forschungsanstalt der Königsberger Universität. Heute ist hier das Institut für Genetik und Tierzucht der Polnischen Akademie der Wissenschaften tätig.

Das wilde Tarpanpferd wird hier gezüchtet und erforscht. Die Pferde leben hier in zwei Gruppen. Die eine lebt in Freiheit im Waldreservat mit einer Fläche von 1600 ha, die andere Gruppe wird im Pferdestall gehalten. Die Tiere der zweiten Gruppe arbeiten in der Landwirtschaft und als Reitpferde. Auch masurische Hirsche und Biber werden hier gezüchtet.

Das Forschungszentrum kann man mit einem lokalen Führer besichtigen. Es ist auch möglich, Spazierfahrten mit einer Britschka zu bestellen. Gruppen bzw. individuelle Touristen sollten ihre Ankunft spätestens einen Tag vorher anmelden (Anmeldungen: Stacja Badawcza PAN w Popielnie, 12-222 Wejsuny, Tel. 0-117/31519).

PROSTKI / PROSTKEN

Das Dorf ist 18 km südlich von Ełk / Lyck gelegen. Es wurde 1482 gegründet. 1656 während des Schwedeneinfalls in Polen kam es bei Prostken zur Schlacht, in der die verbündeten schwedisch - brandenburgischen Truppen den polnisch - litauisch - tatarischen, angeführt von Hetman Gosiewski, unterlagen. Die Niederlage der preußischen und schwedischen Truppen machte Tataren den Weg frei, die im Jahre 1657 zweimal in Masuren einfielen und es verwüsteten.

Bis zum Ausbruch des 2. Weltkrieges war Prostken ein Grenzdorf. Südlich des Dorfes befindet sich der Grenzpfahl aus dem Jahre 1545, aufgestellt an der Stelle, an der die Grenzen zwischen Preußen, Polen und Litauen zusammentrafen.

RAPA / KLEINANGERAPP

In diesem Ort befindet sich das einzige Grabmal in Masuren in Form einer Pyramide. Das Dorf Kleinangerapp gehörte zur Familie von Farenheid. Zum Privatbesitz dieser Familie zählte auch der neoklassizistische Palast im Dorf Beynuhnen, heute auf der russischen Seite der Grenze. Der Palast war berühmt durch seine Sammlungen von Kunstwerken des Altertums und Neoklassizismus. Hier befanden sich Gemälde großer Meister sowie Bildhauereien und Fundstücke von Ausgrabungen. Im Jahre 1945 wurde der Palast durch die Soldaten der Roten Armee vernichtet, später völlig abgetragen.

Friedrich Heinrich Graf von Farenheid war ein großer Kunstfreund. Von Kultur und Kunst des altertümlichen Ägypten fasziniert, erteilte er den Auftrag, in der Nähe des Dorfes Kleinangerapp eine kleine Pyramide zu errichten, die als Grabmal gedacht war. Im Jahre 1811 ließ er hier den Sarg mit den sterblichen Überresten seines geliebten Töchterchens Ninette beisetzen; sie starb im Alter von 3 Jahren. Später wurden hier auch weitere Verstorbene der Familie Farenheid beigesetzt, und schließlich fand 1849 auch sein Erbauer hier seine letzte Ruhe. Durch die spezifischen Ausstrahlungen in der Pyramide, sind alle Leichname mumifiziert.

Die Pyramide ist fast 10 m hoch, über ihrem Eingang ist ein Metallkreuz angebracht. Es ist heute schon in sehr schlechtem Zustand, aber letztens wurde es ins Register der Altertümer aufgenommen; es fanden sich Leute, die es schützen und bewahren wollen.

Um zur Pyramide zu gelangen, fährt man von Węgorzewo / Angerburg zum Ort Banie Mazurskie, von dort 9 km nördlich, in Richtung Żabin. Das Grabmal steht rechts, kurz vor dem Dorf Rapa, 250 m von der Chaussee entfernt.

ROZOGI / FRIEDRICHSHOF

Das Dorf liegt 26 km südöstlich von Szczytno / Ortelsburg. Gegründet wurde es 1645. An der Grenze Ostpreußens zu Polen gelegen, war Friedrichshof ein bedeutendes Handelszentrum. Im 1. Weltkrieg wurde es stark beschädigt, in der Zwischenkriegszeit wiederaufgebaut. Die neugotische Kirche stammt aus dem Jahre 1845.

RUCIANE-NIDA / NIEDERSEE

Diese kleine Stadt befindet sich in der Johannisburger Heide, zwischen dem Großen Guschiener-See und Nieder-See. Das Städtchen entstand 1966 durch Verbindung des Ortes Ruciane / Niedersee mit dem Dorf Nida / Nieden. Bis zum 19. Jh. gab es neben dem Dorf Nieden auch eine Försterei. Später erbaute man ein großes Sägewerk, eine Kienbrennerei, eine Samenmühle sowie eine Siedlung für die Arbeiter. Im 1. Weltkrieg wurde der Ort teilweise zerstört. In der Zwischenkriegszeit wiederaufgebaut, wurde er dank der schönen Lage auf der Strecke der Großen Masurischen Seen zum großen Touristenzentrum.

Im 2. Weltkrieg wurde Niedersee zu 30% zerstört. Erneut instandgesetzt, bietet das Städchen den Touristen ausgezeichnete Möglichkeiten für Erholung und Wassersportbetreibung. Es gibt hier eine Schiffsanlegestelle der „Weißen Flotte", Tel. (0-87) 23 10 43.

RYDZEWO / ROTWALDE

Das Dorf liegt 16 km südlich von Lötzen / Giżycko, am Ostufer des Saiten-Sees / Jez. Boczne. Die Geschichte des Dorfes greift auf das Jahr 1552 zurück. 1710 starben 86 Einwohner an der Pest, darunter sieben Kinder des Pastors Sartorius. Er stiftete ein Epitaphium, das in der Kirche am Ort angebracht war (heute im Museum in Mohrungen / Morag). Die Kirche, 1591 erbaut, ist zweimal umgebaut worden ; der Turm stammt aus dem Jahre 1772, der Altar aus dem 17. Jh., die Schnitzerei der hl. Anna - aus dem Beginn des 16. Jh.

RYN / RHEIN

Diese kleine Stadt liegt südöstlich von Lötzen / Giżycko, auf einer Landenge zwischen zwei Seen. Die pruzzischen Ureinwohner dieses Gebietes vom Stamm der Galinder waren in der Mitte des 14. Jh. vom Ritterorden besiegt worden. Zum Schutz vor den Litauereinfällen errichteten hier die Kreuzritter eine mächtige Burg, deren Bau im Jahre 1376 begann. Eine Überlieferung besagt, daß diese Burg die Kreuzritter an die rheinländischen Schlösser erinnerte, und der nahe See an den Rhein, daher auch der Name des Ortes Rhein.

Die Burg war Sitz der Komturen. Sie war nicht nur für die Verteidigung wichtig, sondern hatte auch wirtschaftliche Bedeutung. Hier wurden ungeheure Vorräte an Honig, Fleisch und Fisch gelagert, die später in das Innere des Ordensstaates weitergegeben wurden. Die Ordensritter verwalteten eine Fischerflotille und Eisenhütte. Im 15. Jh. entstand nahe der Burg eine Ansiedlung. Ihre Entwicklung wurde 1657 brutal unterbrochen, als die Tataren alle Bewohner der Vorburg ermordeten oder in Gefangenschaft nahmen. Dies Ereignis verewigte der hiesige Dichter Thomas Molitor in seinem Gedicht „Über den Einfall der Tataren in Preußen". Die Ansiedlung entwickelte sich trotzdem, und im Jahre 1723 erhielt sie das Stadtrecht.

In der Mitte des 19. Jh., als sich auf den masurischen Seen der Wasserverkehr entwickelte, wurde Rhein zum Heimathafen des ersten Dampfers in Masuren „Masowia". 1854 reiste mit diesem Dampfer der preußische König Friedrich Wilhelm IV. Am Anfang des 20. Jh. verband eine Kleinbahn Rhein mit Rastenburg. Die Bahn gibt es heute nicht mehr.

Im 2. Weltkrieg wurde der Ort zu 30% zerstört. Die Russen besetzten Rhein am 25. Januar 1945. Heute ist Rhein ein Zentrum für Segler und Touristen mit einer Anlegestelle für Segelboote und einem Biwakplatz. Die sich entwickelnde Nahrungsmittelindustrie ist ein weiterer Erwerbszweig.

Bis heute ist die ehemalige Ordensburg erhalten geblieben. Sie wurde mehrmals umgebaut. Im 19. Jh. war in ihr eine Strafanstalt untergebracht. Original sind die aus dem 14. Jh. stammenden Keller, erhalten blieb auch eine alte runde Bastei.

Einwohnerzahl: *1939:* 2429; *1996:* 3200.

SORKWITY / SORQUITTEN

Das Dorf, auf der Strecke Mrągowo / Sensburg - Biskupiec / Bischofsburg, wurde 1379 angelegt. Sorquitten gehörte in Folge mehreren Adelsfamilien. 1788 erbaute man hier ein Schloß, im Jahre 1856 wurde es modernisiert. Im 1. Weltkrieg niedergebrannt, wurde es 1920 im neugotischen Stil wiederaufgebaut. Derzeit dient es als Ferienheim. Die Pfarrkirche aus dem 15. Jh. wurde 1700 umgebaut; der Hochaltar (1642) im Stil der späten Renaissance, die Kanzel (1701) im Barockstil. In Sorquitten am Lampatzki-See beginnt die attraktive Paddelbootroute auf der Kruttinna.

SPYCHOWO / PUPPEN

Das Dorf liegt an der Bahnstrecke Ortelsburg - Niedersee, am Puppen-See. Im 15. Jh. gab es hier ein kleines, von Kreuzrittern angelegtes Jagdhaus. In dessen Nähe entwickelte sich ein Dorf, das im 17. Jh. Sitz der Forstverwaltung wurde. Im 18. Jh. wurde hier eine Eisenhütte betrieben, im 19. Jh. förderte man Bernstein. Außerdem gab es eine Kienbrennerei und ein Sägewerk. Die Dorfeinwohner betrieben Holz- und Fischhandel. In den umliegenden Wäldern wurde im Jahre 1804 der letzte in der Johannisburger Heide lebende Bär getötet.

Puppen, an der allgemein bekannten Paddelbootroute auf der Kruttinna gelegen, ist seit 1918 ein gern besuchter Touristenort. Hier gibt es ein Bootshaus und mehrere Erholungsheime.

STARA RÓŻANKA / ALT ROSENTHAL

Das Dorf, 4 km nördlich von Kętrzyn / Rastenburg gelegen, wurde 1399 gegründet. Die gotische Kirche aus dem 14 Jh. wurde längere Zeit nicht renoviert, 1725 wurde sie abgetragen. Die Windmühle aus dem 19. Jh. dient gegenwärtig als Gaststätte.

STĘBARK / TANNENBERG

Das Dorf, das 17 km südwestlich von Hohenstein / Olsztynek liegt, wurde in der Mitte des 14. Jh. gegründet. In seiner Nähe fanden zwei historische Schlachten statt.

Am 15. Juli 1410 besiegte auf den Feldern zwischen Tannenberg und Grünfelde / Grunwald die polnisch-litauische Armee, befehligt vom polnischen König Władysław Jagiełło, den Deutschen Ritterorden. In der Schlacht fiel der Hochmeister des Ordens Ulrich von Jungingen. An dieses Ereignis erinnert der Stein, in den 1901 die Inschrift eingeschnitten wurde: „Im Kampf um die deutsche Existenz und das deutsche Reich starb hier der Hochmeister Ulrich von Jungingen am 15. Juli 1410 als Held". Nach 1945 wurde diese Inschrift durch eine in polnischer Sprache ersetzt. Die polnischen Historiker sprechen von der Schlacht bei Grunwald, die deutschen Historiker von der bei Tannenberg.

Über 500 Jahre später, in den Tagen vom 26.-30. August 1914 wurde die zweite Schlacht bei Tannenberg ausgetragen. Die russischen Truppen unter Führung von General Samsonow, die Ostpreußen erobern wollten, wurden hier eingekreist und von deutschen Truppen, angeführt von Generalfeldmarschall Paul von

Hindenburg, geschlagen. Nach der Niederlage seiner Armee beging General Samsonow Selbstmord.

Tannenbergdenkmal - siehe Olsztynek / Hohenstein.

SZESTNO / SEEHESTEN

Das Dorf liegt zwischen Mrągowo / Sensburg und Kętrzyn / Rastenburg. An die Stelle der zerstörten altpreußischen Befestigung erbauten die Kreuzritter 1348 am Ufer des Juno-Sees eine Holzburg und nannten es Haus Seehesten. Aber schon zwei Jahre darauf wurde Haus Seehesten von Litauern vernichtet. Die 1367 neu errichtete Burg war schon eine gemauerte. 1371 hielt sie dem Einfall der Litauer stand, die nur die Vorburg eroberten und sie zerstörten. 1401 legte Ulrich von Jungingen neben der Burg ein kleines Dorf an. In der Nähe war ebenfalls ein Vorwerk mit 22 Hufen sowie eine Siedlung mit Handwerkern, die für die Burg arbeiteten. Seit 1401 herrschte über Seehesten ein Pfleger, der der Komturei Balga unterstand. Zu Beginn des 19. Jh. verfiel die Burg. Heute sind nur noch Mauerreste und Fragmente der Keller im Ostflügel erhalten.

Bei einem Aufenthalt in Szestno / Seehesten sollte auch die gotische Kirche besichtigt werden. Mitte des 14. Jh. erbaut, brannte sie 1616 ab, aber kurz danach wurde das Gotteshaus mit barocker Innenausstattung wiederaufgebaut. Interesse erweckt der Altar aus der Hälfte des 17. Jh. mit gotischen Figuren der Apostel Peter und Paul. Die Kanzel stammt aus dem Jahre 1625, die Grabtafeln, Epitaphe und Trauerfahnen aus Metall aus dem 17. und 18. Jh. Die Decke ist mit Polychromie aus dem 17. Jh. verziert. Beachtung verdient der mächtige, gedrungene Kirchturm mit dem Grundriß eines Rechtecks mit den Maßen 12 x 11 m, reich mit Blenden gegliedert. Die Turmmauern sind 2,5 m breit. Im Dorf sollte man auch der Wassermühle beachten, die aus dem 19. Jh. stammt. Derzeit dient sie als kleines Kraftwerk.

Einwohnerzahl: *1939:* 432; *1996:* 600.

SZCZYTNO / ORTELSBURG

Die Stadt liegt im südlichen Teil Masurens, an den Ufern des Großen Haussees und des Kleinen Haussees. Einst lag hier die altpreußische Ansiedlung „Sciten". Nach ihrem Abbruch erbauten die Kreuzritter an ihrer Stelle im Jahre 1360 die Holzgrenzfeste „Ortulfsburg". Gründer der Feste war der Ordenskomtur von

Elbing Ortulf von Trier, nach dem die Feste benannt wurde. Im Jahre 1370 von Litauern niedergebrannt, wurde sie wiederaufgebaut als eine Burg aus Stein.

Nach der Säkularisierung des Ordens verlor die Burg ihre militärische Bedeutung und wurde als Jagdschloß genutzt. Man suchte in ihm auch Schutz vor Seuchen. In den Jahren 1527-1528 suchte Herzog Albrecht hier Schutz mit der Familie.

Neben dem Schloß entstand schon im 14. Jh. eine kleine Ansiedlung mit Handwerkern und Waldbienenzüchtern. Sie wurde Sitz der Gemeindeverwaltung. 1602 zählte die Ansiedlung 250 Einwohner. Im Jahre 1723 erhielt sie das Stadtrecht. Im 17. und 18. Jh. wurde die Stadt von zahlreichen Katastrophen heimgesucht. Mehrmals wüteten ausgedehnte Brände, die Einwohnerzahl wurde durch die Pest stark reduziert. 1758 wurde Ortelsburg von russischen Truppen besetzt. Im 18. Jh. wurde das Schloß nicht renoviert, es verfiel. Schließlich wurden seine Mauern, die einzustürzen drohten, abgerissen; die übriggebliebenen Bauten wurden zu Lagerhäusern umgestaltet und der Festungsgraben zugeschüttet.

1807 wurde die Stadt von französischen und polnischen Truppen eingenommen. 1818 wurde Ortelsburg Kreisstadt. Mitte des 19. Jh. trat eine wirtschaftliche Belebung ein; ein Gerichtsgebäude wurde errichtet sowie eine Schule, ein Schlachthaus und eine Post. Die Stadt erhielt Bahn- und Straßenverbindungen mit den benachbarten Orten. Zu Beginn des 20. Jh. entstanden Krankenhaus, Gaswerk und Kanalisation.

Diese für die Einwohner Ortelsburgs günstige Entwicklung wurde 1914 unterbrochen, als die Russen die Mehrzahl der Häuser abbrannten. In Kürze wurde mit Hilfe Wiens die Stadt wiederaufgebaut. In der Zwischenkriegszeit wurden in Ortelsburg Zeitschriften in polnischer Sprache herausgegeben, u.a. der „Mazur".

In der Stadt sind Reste von drei Schloßflügeln aus dem 14. Jh. und eines Eckturms zu besichtigen. Gleich daneben, im 1938 erbauten Rathaus, ist das Masurische Museum zu besichtigen mit interessanten masurischen Ofenkacheln sowie historischen und naturwissenschaftlichen Sammlungen (Muzeum Mazurskie, 12--100 Szczytno, ul. Sienkiewicza 1, Tel. (0-89) 624 24 37.

Einwohnerzahl: *1939:* 14234; *1996:* 28000.

SZTYNORT / STEINORT

Die Ufer des Mauer-Sees / jez. Mamry waren damals verwildert. Ein Teil davon mit 2000 ha gehörte schon seit dem 15. Jh. der Familie Lehndorff. Diese gründete hier 1554 Steinort. Das Dorf liegt auf einer Halbinsel und ist von drei Seiten vom Mauer-See umgeben. Es ist dies einer der bezauberndsten Winkel in Masuren.

1570 wurde hier ein Gutshaus errichtet, das in der Mitte des 17. Jh. von Tataren abgebrannt wurde. 1689 begann der Bau eines Schlosses im Barockstil durch die junge, erst fünfundzwanzigjährige Witwe Marie Eleonore Lehndorff, geborene Gräfin Dönhoff. Im 18. und 19. Jh. wurde das Schloß umgebaut. Neben ihm errichtete man ein Hofhaus, ein Landhaus für den Jägermeister sowie Pferdestall, Kuhstall, Speicher und Molkerei. Die Gebäude blieben erhalten.

Das Innere des Schlosses war reich ausgestattet. In den Räumen im Parterre gab es Wandgemälde mit Szenen aus der Bibel. Die Räume hatten verzierte Kamine und stilvolle Möbel. Die Familie Lehndorff war stolz auf ihre wertvollen numismatischen Sammlungen. Am Ende des Krieges wurde das Schloß verwüstet, Möbel und Gemälde verschleppt. Nach dem Krieg war hier für viele Jahre ein Büro der Staatlichen Güter untergebracht.

Der vorletzte Eigentümer von Steinort war Carol Lehndorff, ein Original, bekannt durch seinen Sinn für Humor. Marion Gräfin Dönhoff beschreibt ihn in ihrem Buch: *»Die letzten Jahrzehnte seines Lebens verbrachte er, nachdem er lange Zeit fern von Europa gelebt hatte, wieder in Steinort , abwechselnd in monatelanger Einsamkeit und dann wieder mit fröhlichem Jagen und nächtlichen Trinkgelagen, über die die Fama Erstaunliches zu berichten wußte. Er starb 1936. Im Jahr zuvor hatten die örtlichen Parteigrößen aus irgendeinem Anlaß ein großes Volksfest in Steinort veranstaltet. Carol Lehndorff, der aufgefordert wurde, eine Rede an „sein Volk" und auf den „Führer" zu halten, trat auf den Balkon heraus, sprach einige Worte und schloß mit dem Ruf: „Heil...? Donnerwetter, wie heißt der Kerl doch gleich?" Nach einigen Sekunden der Ratlosigkeit: „Na, denn Waidmannsheil!"«*

Nach dem Tode Carol Lehndorffs ging Steinort an seinen Cousin, Heinrich Lehndorff über. Im Krieg war er Ordonanzoffizier bei General Fedor von Bock, der später die Stellung des Oberbefehlshabers der Heeresgruppe im Osten einnahm. Heinrich

Lehndorff nahm am Rußlandfeldzug teil. Im Juni 1941 verlor er seinen jüngeren Bruder, der an der Front ums Leben kam. Schon damals war er sich im klaren über die Sinnlosigkeit des von Hitler entfesselten Krieges. Im Jahre 1942 war er Zeuge des Judenmassakers unweit von Borisowo. Dies Erlebnis erschütterte ihn so stark, daß er beschloß, sich der Nazidiktatur aktiv zu widersetzen. Er trat der Widerstandsbewegung bei.

Am 20. Juli 1944 weilte Heinrich Lehndorff in Steinort auf Urlaub. Zu dieser Zeit war sein Gut Sitz des Außenministers des Deutschen Reichs, Joachim von Ribbentrop. Einige Stunden vor Explosion der Bombe, die Graf von Stauffenberg in der Wolfsschanze gelegt hatte, fuhr er nach Königsberg, wo er eine Aufgabe erfüllen sollte, mit der er von den Verschwörern betraut war. Auf die Nachricht hin, daß das Attentat nicht gelungen war, kehrte er nach Steinort zurück. Aber schon am Tag darauf kam die Gestapo, um ihn zu holen. Heinrich Lehndorff sprang aus dem Fenster und versteckte sich. Aber kurz darauf, in Ängsten um seine Familie, stellte er sich seinen Verfolgern. Man brachte ihn zuerst nach Königsberg, später nach Berlin. Als er für sich keinen Ausweg sah, flüchtete er aus dem Sträflingstransport. Nach einigen Tagen, erschöpft von der Flucht, klopfte er an die Tür des Forsthauses in der Umgebung von Neusterlitz bei Mecklenburg. Der Förster rief die Gestapo, der Flüchtling wurde festgenommen und am 4. September 1944 in Plötzensee durch den Strang hingerichtet. Seine ganze Familie wurde verhaftet.

Das Schloß Steinort ist von einem großen Park umgeben, in dem jahrhundertealte Eichen, Buchen und Linden wachsen. Die ältesten Bäume sind mehr als 300 Jahre alt. Auch am Weg nach Steinort wachsen herrliche alte Eichen.

ŚWIĘTA LIPKA / HEILIGELINDE

Das kleine Dorf ist sehr schön auf der Landenge zwischen Heiligelinder-See und Wirbel-See gelegen, an der Chaussee, die Kętrzyn / Rastenburg und Reszel / Rößel verbindet. Schon seit Jahrhunderten ist der Ort Ziel unzähliger Pilgerscharen. Die Kirche in Heiligelinde, der schönste Barockbau im ganzen nordöstlichen Polen, gehört zu den größten touristischen Anziehungspunkten.

Im Mittelalter verehrten die heidnischen Pruzzen eine mächtige Linde, die am Bach wuchs, der zwei Seen verband. Sie glaubten,

47. Eichenallee, die zum Schlo Steinort führt

48. Dorfkirche in Szestno / Seehesten

49. Die Wallfahrtskirche in Święta Lipka / Heiligelinde
50. Umgebung von Święta Lipka / Heiligelinde

daß sie der Sitz allmächtiger Dämonen und Götter sei. Um ihr Wohlwollen zu erlangen, brachte man an der Linde Opfer dar.

Nach dem Sieg der Kreuzritter über die Pruzzen und der Christianisierung dieser Gebiete wurde der Ort zum Zentrum des Marienkults. Die Gottesmutter wurde als Beschützerin des Ritterordens verehrt. Anfänglich, wahrscheinlich schon im 14. Jh., betete man hier vor einer auf der großen Linde angebrachten Holzfigur der Gottesmutter. Keine historischen Dokumente bezeugen, wann das war, und wer die Figur dort hingehängt hatte.

Einer Legende zufolge war im Verlies des Rastenburger Schlosses ein zum Tode verurteilter Verbrecher eingekerkert. In der Nacht vor der Urteilsvollstreckung betete er zur Mutter Gottes, bat um Verzeihung und Hilfe. Maria erschien und befahl ihm, eine Holzfigur zu schnitzen. Der Verurteilte war überzeugt, daß es ihm nicht gelingen würde, denn er hatte sich noch nie mit Holzschnitzerei befaßt. Trotzdem machte er sich an die Arbeit, und es zeigte sich, daß er in ein paar Stunden ein schönes Bildnis der Mutter Gottes mit Kind in Holz geschnitzt hatte. Die darüber informierten Richter eilten zur Zelle, um sich die Figur anzusehen. Die Tatsache, das der Verurteilte ein so schönes Werk ausgeschnitzt hatte, verstanden sie als Intervention des Himmels und beschlossen, den Gefangenen freizusprechen. Und so geschah es auch.

Der aus dem Gefängnis Befreite befestigte sein Werk an der ersten am Weg von Rastenburg nach Rößel stehenden Linde. Die Figur hatte eine ungewöhnliche Kraft. Die unter ihr vorbeiziehende Schafherde kniete nieder, und ein blinder Adliger, der vor ihr betete, erhielt die Sehkraft wieder. Die Einwohner Rastenburgs brachten die Figur in ihre Kirche, aber schon am Tag darauf fand man sie wieder an der Linde. Noch mehrmals wurde die Figur an andere Stellen gebracht, aber jedesmal kehrte sie am nächsten Tag dahin zurück, wo sie der Verurteilte angebracht hatte. Schließlich erkannte man an, daß diesen Platz die Gottesmutter selbst ausgesucht hatte, und es wurde beschlossen, hier eine Kapelle zu errichten.

Diese Legende entstand erst im 17. Jh., also ziemlich spät. Tatsache ist aber, das es hier schon im 15. Jh. eine kleine Kapelle mit den Ausmaßen 12 x 8 m gab. Der Baumstamm befand sich innerhalb des Bauwerks und seine Äste breiteten sich über dem Dach aus. Die Kapelle wurde von katholischen Pilgerscharen aufgesucht, die hierherkamen, um Ablaß der Sündenstrafen zu erhalten und gesund zu werden. 1519 kam der letzte Hochmeister des Deutschen Ordens Albrecht von Hohenzollern zu Fuß und barfuß hierher. Er war der spätere weltliche Herzog von Preußen.

Derselbe Herzog Albrecht trat 1525 zum Protestantismus über, und die katholische Religion wurde in Preußen untersagt. Ein Jahr darauf wurde die Kapelle zerstört, die Linde gefällt und die Figur vernichtet. Allen, die Wallfahrten hierher unternahmen, drohte damals die Todesstrafe; um daran zu erinnern, wurde ein Galgen aufgestellt.

Im Jahre 1605 wurde den Katholiken die Konfessionsfreiheit wiedergegeben. An Stelle der alten Kapelle begann man mit dem Bau einer neuen, von derselben Größe wie die ehemalige. 1619 wurde der Bau abgeschlossen. Der Gottesdienst wurde von Jesuiten abgehalten. Nach Heiligelinde kamen Pilger aus immer entfernteren Gegenden, selbst aus Danzig und Königsberg. Es kam u.a. der polnische König Jan Kazimierz.

Die Kapelle war nicht mehr imstande, alle Pilger aufzunehmen, daher begann man 1687 mit dem Bau einer neuen, großen Kirche. Nach ihrer Fertigstellung wurde ein Ordenshaus sowie vier durch Kreuzgänge verbundene Eckkapellen angebaut, die für Pilger bestimmt waren. Den sumpfigen Boden stärkte man durch viele lange, beschlagene Erlenpfähle. Die Bauführung oblag dem Architekten Ertly aus Wilna, geboren in Tirol. Die Arbeiten an der Ausstattung der Kirche dauerten viele Jahre. Endgültig beendet wurden sie im Jahre 1759.

Die Kirche hielt glücklich allen historischen Angriffen stand. Auch die Kriegshandlungen des 2. Weltkrieges überstand sie. Nur im Jahre 1945 zerstörten die in ihr einquartierten russischen Soldaten einen Teil der Bänke und beschädigten die Orgel. Im Jahre 1983 verlieh der Papst Johannes Paul II. der Kirche den Titel Kleine Basilika.

Auf den Hof der Kirche gelangen wir durch eine wunderschöne grüne Eingangspforte aus dem Jahre 1734, ausgeführt von dem Schmied Johann Schwarz aus Rößel. Auf den Umgangsmauern sind 44 Steinfiguren aufgestellt, die das Geschlechtsregister Jesu Christi darstellen. Es sind dies Arbeiten von Christoph Perwanger, ausgeführt in den Jahren 1744-1748. Über dem Eingang stehen Figuren der Heiligen Jungfrau Maria und dem Erzengel Gabriel. In der Mitte ist das Jesuskind in Strahlenglorie mit dem Kreuz in der Hand.

51. Windmühle in Stara Różanka / Alt Rosenthal

52. Szczytno / Ortelsburg

3. Pfarrkirche in Węgorzewo / Angerburg

4. Anlegestelle in Węgorzewo / Angerburg

Die originale und wunderschöne Westfassade der Kirche ist in drei Geschosse eingeteilt. In der mittleren Nische ist die Linde nachgebildet. Ihr Stamm ist aus Sandstein, ihre Krone aus Metall. An der Linde angebracht ist eine kleine Figur der Muttergottes. Die emporstrebenden Türme zusammen mit den Kreuzen erreichen die Höhe von 53 m, die an ihren Wänden angebrachten Uhren haben jede ein Zifferblatt von 3 m Durchmesser.

Durch das reich geschmückte Hauptportal betreten wir die Kirche. Sie hat die Form einer dreischiffigen Basilika. Die Wandmalereien entstanden in den Jahren 1722-1727 von Matthias Meyer aus Heilsberg. Sein Selbstbildnis befindet sich über der Orgel, in der Ecke; es ist dies ein Mann mit Pinseln in der Hand, in himmelblauer Weste und Hemd mit hochgekrempelten Ärmeln. Bei der Ausschmückung der Kirche wandte Meyer ausschließlich Bemalung an. Manche architektonischen Elemente sind einfach aufgemalt, in Wirklichkeit gibt es sie gar nicht, z.B. Scheinsimse, Scheinrillen auf den Säulen und eine fiktive Kuppel.

Die Deckenmalereien im Mittelschiff stellen eine Verherrlichung Mariä dar. Die Bilder in den Seitenschiffen dagegen teilen sich in drei Themenkreise auf: die Leidengeschichte Jesu, Szenen aus dem Leben der Mutter Gottes sowie Geschichte und Wunder von Heiligelinde.

Der Hochaltar aus dem Jahre 1714 besteht aus dunklem Holz. Er ist das Werk des Schnitzers Christoph Peucker aus Königsberg. Der Altar ist 19 m hoch und dreigeschossig, ihn krönt das Zeichen des Jesuitenordens IHS. Unter dem Zeichen befindet sich ein Bild, das Mariä Himmelfahrt darstellt und darunter ist Mariä Heimsuchung dargestellt. Das bedeutendste ist das Gnadenbild, das die Mutter Gottes aus Heiligelinde darstellt, gemalt von Bartholomäus Pens im Jahre 1640. Das Bild ist mit einem Silbergewand geschmückt, ausgeführt im Jahre 1720 vom Königsberger Goldschmied Samuel Grewe. 1968 wurde die feierliche Krönung dieses Bildes vollzogen. An den Feierlichkeiten nahm u.a. der damalige Kardinal Karol Wojtyła, der spätere Papst Johannes Paul II. teil. Wohl das schönste Kunstwerk in der Kirche ist der Tabernakel, ausgearbeitet von Samuel Grewe. Seine Türverkleidung stellt die Begegnung in Emaus dar.

Die Kanzel entstand im Jahre 1700, ausgeführt in Königsberg von Christoph Peucker. Die Malereien an der Kanzel stellen biblische Geschichten dar, gemalt von Peter Kolberg 1725.

Gegenüber der Kanzel steht die Linde mit der Figur der Gottesmutter. Der Baum steht an der Stelle, an der im Mittelalter die wundertätige Linde wuchs. Die holzgeschnitzte Linde hat Äste aus Gips und Blätter aus Blech. Sie wurde 1728 aufgestellt. Das Marienbild ist aus Silberblech und stammt aus dem Jahre 1652.

Die Orgel in Heiligelinde wird als „Königin der Instrumente" bezeichnet. Sie wurde 1721 in Königsberg vom Meister Johann Josua Mosengel gebaut. Die Orgel hat 40 Register und fast 4000 Pfeifen, aber nur 200 von ihnen sind von außen sichtbar. Beim Konzert bewegen sich die auf der Orgel angebrachten Figuren. Hörer und Zuschauer sehen die Szene der Verkündigung. Erzengel Gabriel verneigt sich tief vor Maria, sie neigt daraufhin leicht den Kopf und die Engel spielen dazu auf Trompeten, Mandoline und läuten mit Glöckchen.

Orgelkonzerte finden zu folgenden Stunden statt: 9.30, 10.30, 11.30, 13.30, 14.30, 15.30, 16.30, 17.30.

TAŁTY / TALTEN

Das Dorf liegt auf der Schiffahrtsroute der „Weißen Flotte" von Lötzen nach Nikolaiken, am Ostufer der Talter-Gewässer. Hier ist eine Badeanstalt. Vom Ufer aus bietet sich ein wunderschöner Ausblick auf den See. Die von hier zu sehende Turmwindmühle stammt aus dem 19. Jh. Das Dorf wurde im Jahre 1512 vom Komtur Rudolf von Tippelskirch angelegt.

UKTA / ALT UKTA

Das Dorf liegt 7 km nordwestlich von Ruciane-Nida / Niedersee. 1754 entstand am Fluß eine Glashütte und in ihrer Nähe Häuser der in der Hütte Beschäftigten. Nach Verfall der Hütte wohnten hier die in der Johannisburger Heide Beschäftigten. 1832 ließen sich hier die Philipponen nieder (siehe: Wojnowo / Eckertsdorf). In der zweiten Hälfte des 19. Jh. gab es zwei Sägewerke und eine Streichholzfabrik. Im 2. Weltkrieg war hier ein Zwangsarbeitslager eingerichtet. In ihm saßen Gefangene der verschiedensten Nationalitäten. Gegenwärtig ist Ukta ein bekannter Touristenort auf der Paddelbootroute des Flusses Kruttinna. Es gibt hier Erholungsheime und ein Bootshaus mit einer Anlegestelle.

Man sollte hier die neugotische Kirche aus dem Jahre 1845 beachten. In ihrem Chorraum ist ein neugotischer Altar mit barockem Bild, das die Beweinung Christi nach der Kreuzabnahme darstellt. Neben der Kirche steht ein hölzerner Glockenturm mit zwei Glocken aus dem Jahre 1846.

WEJSUNY / WEISSUHNEN

Das Dorf liegt 6 km nordöstlich von Ruciane-Nida / Nidersee, am Ufer des Weißuhner-Sees. Nach Weißuhnen sollte man unbedingt fahren, um sich dort alte masurische Hütten aus dem Ende des 19. Jh. anzusehen. In einer von ihnen ist eine sog. heimatkundliche Stube eingerichtet mit ethnographischen Sammlungen, Werken der Volkskunst, Andenken an verdiente Masuren und masurischem Schrifttum. Interessant ist außerdem die lokale neugotische Kirche.

WĘGORZEWO / ANGERBURG

Die Stadt liegt 2 km vom nördlichen Ufer des Mauer-Sees / jez. Mamry entfernt, am Angerapp-Fluß / Węgorapa. An dieser Stelle war seinerzeit eine Grenzbefestigung der heidnischen Pruzzen. Nachdem die Kreuzritter sie eingenommen hatten, bauten sie 1335 ein Holzschloß. Dreißzig Jahre später wurde es von Litauern vernichtet. Am Ausgang des 15. Jh. entstand hier ein Neubau in Stein, daneben eine Ansiedlung, in der im 15. Jh. Wirtshaus und Mühle untergebracht waren.

1571 wurde Angerburg zur Stadt erhoben. Zu dieser Zeit hatte sie schon ein Rathaus, Erdbefestigungen, Palisaden und war von einem Festungsgraben umgeben. In die Stadt fuhr man durch eins der drei Tore mit Zugbrücke. 1656 wurde die Stadt zweimal geplündert und verbrannt. Die Mehrzahl der Einwohner wurde getötet oder in Gefangenschaft genommen. Um die verödete Stadt zu bevölkern, wurde sie mit Kolonisten aus dem polnischen Masowien besiedelt.

In den Jahren 1709-1710 starben 90% ihrer Einwohner an der Pest. Von 1758 bis 1762 war Angerburg von russischen Truppen besetzt. 1829 wurde hier ein Lehrerseminar gegründet. Die hier ausgebildeten jungen deutschen Pädagogen sollten die Lehrer ersetzen, die in den masurischen Schulen auf polnisch unterrichteten.

In der zweiten Hälfte des 19. Jh. fand in Angerburg eine deutliche Belebung der Wirtschaft statt. Die Stadt erhielt eine Bahnverbindung zu Gerdauen, Goldap, Lötzen und Rastenburg.

In den ersten Jahren des 20. Jh. erbaute man ein Gaswerk, ein Schlachthaus, ein Badehaus, eine Buchdruckerei, eine Brutanstalt für Fische sowie eine Wasserleitung. Im 1. Weltkrieg war Angerburg für gewisse Zeit von Russen besetzt, erlitt jedoch keine größeren Kriegsschäden. In der Zwischenkriegszeit wurde Angerburg zu einem bekannten Touristen- und Sportzentrum. In den dreißiger Jahren wurden auf dem Mauer-See die Europäischen Meisterschaften im Eissegeln ausgetragen. Zu der Zeit wurden in der Stadt zwei neue Hotels erbaut: „Deutsches Haus" und „Schloßhotel". Am Ende des 2. Weltkrieges wurde Angerburg zu 80% beschädigt. Russische Truppen besetzten die Stadt am 24. Januar 1945. Heute ist Angerburg / Węgorzewo ein großes Zentrum des Touristenverkehrs und Segelsports. Es entwickeln sich Metall-, Lebensmittel- und Holzindustrie.

Das interessanteste Baudenkmal in der Stadt ist die zu Beginn des 16. Jh. erbaute spätgotische Pfarrkirche. Der Kirchturm wurde in der Mitte des 18. Jh. aufgestockt. Die Innenausstattung der Kirche ist im Stil der späten Renaissance gehalten. Hochaltar und Kanzel stammen aus dem 17. Jh. Über der Turmtür befinden sich die Wappen der Familien Dohna und Kreytzen, der Stifter der Kirche. An der Außenwand des Turms blieb der Grabstein des Starosten Hans von Auer aus dem Jahre 1659 erhalten. Auch das Ordensschloß aus dem 14. Jh., im 18. Jh. umgebaut sollte man sich ansehen. 1945 fiel es einem Brand zum Opfer, kürzlich wurde es wiederaufgebaut.

Gleich hinter Angerburg, an der Straße nach Lötzen / Giżycko befindet sich ein Heldenfriedhof aus dem 2. Weltkrieg, mit Gräbern deutscher und russischer Soldaten. Etwas weiter entfernt liegt der empfehlenswerte Campingplatz Rusałka am Schwenzait-See / jez. Święcajty (Tel. 0-117/291).

WIELBARK / WILLENBERG

Der Ort liegt zwischen Nidzica / Neidenburg und Szczytno / Ortelsburg. An der Stelle, an der der Sawitz-Fluß / Sawica in den Omulef-Fluß / Omulew mündet, erbauten die Kreuzritter 1361 ein Grenz-Wildhaus. Neben diesem entstand eine Ansiedlung, in der Waldbienenzüchter, Jäger, Fischer, Handwerker, Hüttenarbeiter und Schankwirte seßhaft wurden. Die Ansiedlung entwickelte sich gut, da sie an der Handelsstraße Königsberg - Warschau lag. 1723 erhielt Willenberg die Stadtrechte.

Die Stadt wurde bekannt durch ihre Tuchfabriken und ihre Weberei. Ihre Einwohner befaßten sich auch mit der Verarbeitung von Tabak und der Förderung von Bernstein. 1807 wurde Willenberg durch den Durchzug französischer Truppen verwüstet, die Einwohner retteten sich durch Flucht in die Wildnis. Vom 21. Januar bis 2. Februar 1807 bezog Napoleon hier Quartier. 1813 weilte der russische Zar Alexander in der Stadt. Im 19. Jh. brachen mehrmals Brände aus, viele Einwohner starben während der Choleraepidemie. Um die Wende des 19. zum 20. Jh. - dank der Bahnverbindung mit den benachbarten Städten - kam es zu wirtschaftlichem Aufschwung. Im 1. Weltkrieg war Willenberg zweimal von Russen besetzt, aber die Besetzung hinterließ keine größeren Spuren. Während des 2. Weltkrieges wurde die Stadt zu 60% zerstört, und im Jahre 1945 verlor sie die Stadtrechte.

Einwohnerzahl: 1939: 2600; 1996: 2300.

WOJNOWO / ECKERTSDORF

Das Dorf liegt 6 km westlich von Ruciane-Nida / Niedersee, am Kruttinna-Fluß. Im Ort ist eine kleine griechisch-katholische Kirche und ein Nonnenkloster der Altgläubigen, auch Philipponen genannt. Es ist dies eine kleine Sekte der russisch-orthodoxen Kirche.

In der zweiten Hälfte des 17. Jh. führte der Patriarch der russischen Kirche Nikon mit Unterstützung des Zaren Alexey Reformen durch. Man begann, die Taufe durch Wasserbegießen zu vollziehen und nicht wie einst durch Eintauchen in Wasser. Die Gläubigen sollten sich mit zwei Fingern bekreuzigen und nicht wie bisher - mit drei. Während der Andacht wurde jetzt „Halleluja" (lobet den Herrn) zweimal gesungen und nicht dreimal. Die Prozession um das Gotteshaus sollte von nun an von Westen nach Osten gehen und nicht in Richtung der Sonnenbewegung. Auch das Wort Jesus mußte fortan anders geschrieben werden.

Diese Reformen forderten heftigen Widerspruch bei den Geistlichen und Gläubigen heraus, die streng an den Überlieferungen festhielten. In der russischen Kirche kam es zur Spaltung. Diejenigen, die die neue Kirchenzeremonie nicht anerkannten, nannte man Altgläubige. Sie wurden verfolgt, in Gefängnisse gesperrt, geschlagen und gefoltert. Da sie ihre religiösen Überzeugungen nicht aufgeben wollten, siedelten sie in Sibirien und anderen Ländern, u.a. im östlichen Teil Polens.

Im Jahre 1825 erlaubte der preußische König Friedrich Wilhelm III. die Ansiedlung der Altgläubigen in Masuren. Die Einwohnerzahl in der Johannisburger Heide verringerte sich damals durch Napoleonkriege, so daß neue Ansiedler für dieses Gebiet für den preußischen Staat wichtig waren. Man schuf ihnen hier günstige Lebensbedingungen. Sechs Jahre hindurch brauchten sie keine Steuern zu zahlen und konnten Boden als Eigentum erwerben.

Die nach Masuren gekommenen Philipponen erwiesen sich als sehr fleißige und praktische Menschen. Sie befaßten sich u.a. mit Fischerei, Waldwirtschaft und bauten Straßen. Ihr Glaube verbot ihnen entschieden, Alkohol zu sich zu nehmen. Sie glaubten, daß derjenige, der Alkohol trinkt, dreißig Jahre Schande über sich bringe.

In jedem Haus mußte mindestens eine Ikone sein. Sie war das Symbol für die Verbindung des Menschen mit den Heiligen und erfreute sich tiefer Ehrfurcht. Sie wurde entweder auf einem Regal oder in einem speziellen Glasschränkchen aufgestellt. Es war nicht erlaubt, sie auf einem Nagel aufzuhängen. Man durfte sie auch nicht erneuern, es war nur erlaubt, sie mit Öl abzureiben, was dem ältesten Familienmitglied gestattet war. Im Falle eines Brandes retteten die Philipponen zuerst die Ikone. Im Raum, in dem sie aufgestellt war, durften keine Zigaretten geraucht werden. Während einer Annäherung zwischen Frau und Mann war die Ikone mit einem Tuch bedeckt.

Die ersten Philipponen siedelten sich 1830 in der Johannisburger Heide an. Sie gründeten dazumal das Dorf Rehfelde / Onufryjewo. Kurz darauf legten sie die nächsten Dörfer an, u.a. Nickelshorst / Gałkowo, Schlößchen / Zameczek und Schwignainen / Śwignajno. Im Jahre 1832 entstand Eckertsdorf / Wojnowo. 1847 errichtete man hier das gemauerte Kloster. Es befindet sich wenige hundert Meter südwestlich vom Dorf, auf einem Hügel am See. Anfänglich hielten sich in ihm sowohl Männer als auch Frauen auf. Später wurden Männer nicht mehr aufgenommen, es verblieben allein Frauen im Kloster. Vor dem 1. Weltkrieg waren hier 80 Nonnen. Sie befaßten sich nicht nur mit Andachtsübungen, sondern arbeiteten schwer in der zum Kloster gehörenden Landwirtschaft. Außerdem betreuten sie Körperbehinderte und alte Menschen. Die Zahl der Nonnen verringerte sich allmählich, 1995 waren es nur noch zwei.

Beide Weltkriege verschonten das Kloster. Zu seiner Ausstattung gehören wertvolle Ikonen aus dem 19. Jh., Kreuze und ein silberner Kronleuchter. Ikonen aus Eckertsdorf / Wojnowo befinden sich auch in den Museumssammlungen in Heilsberg / Lidzbark Warmiński. Neben dem Kloster steht ein altes Klosterhaus sowie Wirtschaftsgebäude und Tor.

Gleich hinter dem Kloster ist ein Friedhof. Die achteckigen Kreuze auf den Gräbern sind immer auf der östlichen Seite, zu Füßen der Verstorbenen aufgestellt. Dem einstigen religiösen Brauchtum zufolge durften nur Holzkreuze aufgestellt werden. Sie sollten stehenbleiben, bis sie verfault und zerfallen waren. Es war nicht erlaubt, solch ein Kreuz zu renovieren. Heute hat man mit dieser Tradition gebrochen.

Noch im Jahre 1968 wohnten in Eckertsdorf 115 Altgläubige. Viele von ihnen siedelten nach Deutschland um. Heute leben im Dorf nur noch sehr wenige Altgläubige.

In Eckertsdorf gibt es noch eine zweite orthodoxe Kirche, einen Holzbau aus den Jahren 1922-1927. Sie gehörte nicht den Philipponen, sondern den sog. Jedinowiercy, d.h. denen, die die alten Zeremonien beibehalten hatten, aber die neue russisch-orthodoxe Kirche anerkannten.

WOLISKO / WALDSEE

Diese Waldansiedlung befindet sich im Borker Wald, am kleinen Borker-See. Bis vor kurzem wurden hier Wisente gezüchtet, die in geschlossenen Gehegen lebten; vor kurzem wurden sie freigelassen. Im Borker Wald leben derzeit 70 Wisente. In der Försterei Wolisko wohnt der erfahrene Förster Aleksander Stachurski. Er trifft sich gern mit Touristen, und versteht es, fesselnd über die Wisente zu erzählen. In seiner Wohnung kann man sich die hier angesammelten Jagdtrophäen anschauen.

WYDMINY / WIDMINNEN

Das Dorf ist 22 km südlich von Lötzen gelegen. Es wurde 1480 angelegt. 1572 verloren bei einem großen Brand viele Einwohner ihre Häuser, 1710 starben über 200 Personen an der Choleraepidemie. Im 19. Jh. wurde Widminnen zu einem bekannten Marktort. Im 1. Weltkrieg zerstört, wurde es nach 1918 schnell wiederaufgebaut. Schon in den Zwischenkriegsjahren war das Dorf als Ferienort sehr beliebt. Zahlreiche Erholungsheime bieten gute

Unterkunftsmöglichkeiten. Die Touristik wird begünstigt durch die herrliche Lage am Widminner-See / Jez. Wydmińskie mit seinen zahlreichen Inseln.

Die Kirche am Ort stammt aus dem 16. Jh., 1701 umgebaut und erneuert. Der Altar ist ein Schnitzwerk in Holz aus dem Jahre 1719, die Kanzel ist im Barockstil erbaut.

SEHENSWÜRDIGKEITEN IN DER WEITEREN UMGEBUNG

BISZTYNEK / BISCHOFSTEIN
„Teufelstein" ist der größte Findlingsblock (8 m lang, 3 m hoch, 7 m breit) in Ermland. Er liegt unweit der Schule, am Weg nach Reszel / Rößel. Einst nannte man ihn den Bischofsstein, daher der Name der Stadt.

DOBRE MIASTO / GUTTSTADT
Die Stiftskirche aus den Jahren 1376-1389 ist eine der größten sakralen Bauten in Ermland. Die Innenausstattung ist im Barockstil ausgeführt.
„Storchenbastei" und Teile der Wehrmauern.

FROMBORK / FRAUENBURG
Gotischer Dom - errichtet in den Jahren 1329-1388, umgeben von Wehrmauern und Basteien. Dreißig Jahre wohnte hier Nikolaus Kopernikus, 1544 starb er hier. In den unterirdischen Gewölben des Doms befinden sich seine sterblichen Überreste.

LIDZBARK WARMIŃSKI / HEILSBERG
Schloß der ermländischen Bischöfe, errichtet in den Jahren 1348-1400 im gotischen Stil. Zweigeschössige Kreuzgänge, Schloßkapelle aus dem 18. Jh. mit Ausstattung im Rokokostil, gotische Polychromie, im Remter Wappen der Bischöfe.

LISKI / LIESKEN
Das Dorf liegt 9 km nordöstlich von Bartoszyce / Bartenstein. Hier gibt es eine Zuchtstation des Warmblutpferdes, des Trakehners. Es sind dies Abkömmlinge der Pferde, die bis Kriegsende in Trakehnen bei Gumbinnen gezüchtet wurden.

MALBORK / MARIENBURG
Gotisches **Schloß** aus 13. bis 14. Jh., im Mittelalter war es eine

55. Malbork / Marienburg
56. Flachrelief im Schloßhof in Malbork / Marienburg

der mächtigsten Festungen in Europa, in den Jahren 1309-1466 Residenz der Hochmeister des Deutschen Ordens.

MORĄG / MOHRUNGEN

Gotisches **Rathaus** aus dem 15. Jh. Davor stehen französische, von Deutschen eroberte Kanonen aus dem Jahre 1870.
„Dohna-Schlößchen" aus den Jahren 1562-1571, im 2. Weltkrieg zerstört, unlängst wiederaufgebaut. Heute befindet sich in ihm ein Museum.

OLSZTYN / ALLENSTEIN

Das **Schloß**, erbaut in den Jahren 1346-1353, wurde später ausgebaut. Es gehörte dem Ermländischen Domkapitel. In den Jahren 1516 -1521 wohnte hier Nikolaus Kopernikus. Heute ist das Schloß Sitz des Museums von Ermland und Masuren.
Die **St. Jakobi-Kirche** ist ein gotisches Bauwerk aus der zweiten Hälfte des 14. Jh. In ihr blieb ein Teil der ehemaligen Ausstattung erhalten, u.a. das große Kruzifix aus dem 17. Jh., ein Werk von Isaak Riga.
Das **Hohe Tor** aus der zweiten Hälfte des 14. Jh. ist ein Teil der alten Stadtmauern.

RESZEL / RÖSSEL

Schloß der ermländischen Bischöfe wurde in den Jahren 1350-1450 erbaut. Heute befindet sich in ihm ein Museum und eine Kunstgalerie.

LITERATURVERZEICHNIS

1. Bałdowski, Jan: *Ermland und Masuren*, Dülmen 1995
2. Bałdowski, Jan: *Mrągowo, Mikołajki, Reszel*, Warszawa 1974
3. Hardenberg, Gerd: *Reiseführer Ostpreußen*, Leer 1988
4. Dönhoff, Marion Gräfin: *Namen die keiner mehr nennt*, München 1987
5. Jurasz, Tomasz: *Warmia i Mazury, panorama turystyczna*, Warszawa 1979
6. Kuczkowski, Wojciech: *Przewodnik dla żeglarzy*, Warszawa 1993
7. Matela, Leszek: *Piramida na Mazurach*, „Nie z tej Ziemi" 1994
8. Rąkowski, Grzegorz: *Kraina Wielkich Jezior Mazurskich*, Warszawa 1988
9. Rąkowski, Grzegorz: *Mazury Garbate*, Warszawa 1989
10. Sakson, Andrzej, *Mazurzy, społeczność pogranicza*, Poznań 1990
11. Szyfer, Anna: *Zwyczaje, obrzędy i wierzenia Mazurów i Warmiaków*, Olsztyn 1975
12. Szynkowski, Jerzy, *Das Land der Großen Masurischen Seen*, Dülmen 1993
13. Tilitzki, Christian: *Alltag in Ostpreußen*, Leer 1991
14. Weber, Reinhold: *Masuren*, Leer 1983
15. Welder, Michael, *Reise nach Ostpreußen*, Leer 1991
16. Zduniak, Jan: *Wolfsschanze*, Olsztyn 1996

57. Schloß der ermländischen Bischöfe in Reszel / Rößel
58. „Dohna — Schlößchen" in Morag / Mohrungen

59. Stiftskirche in Dobre Miasto / Guttstadt

60. Am Oberländischen Kanal

VERZEICHNIS VON ORTSCHAFTEN, SEEN UND FLÜSSEN (polnisch-deutsch und deutsch-polnisch)

61. Seerosen

62. Seenlandschaft